Espada, cobiça e fé

"Olhar para o PASSADO para entender o presente"

Francisco C. Weffort

Espada, cobiça e fé

As origens do Brasil

1ª edição

CIVILIZAÇÃO BRASILEIRA

Rio de Janeiro

2012

PROJETO GRÁFICO DE MIOLO
Evelyn Grumach e João de Souza Leite

CIP-BRASIL. CATALOGAÇÃO NA FONTE
SINDICATO NACIONAL DOS EDITORES DE LIVROS, RJ

Weffort, Francisco C. (Francisco Corrêa), 1937-
W419e   Espada, cobiça e fé: as origens do Brasil / Francisco
      C. Weffort. – 1ª ed. – Rio de Janeiro: Civilização
      Brasileira, 2012.

        Inclui bibliografia
        ISBN 978-85-200-1124-9

        1. Brasil – História 2. Brasil – Civilização.

                               CDD: 981.04
12-6664   CDU: 94(81)

EDITORA AFILIADA

Este livro foi revisado segundo o novo Acordo Ortográfico da Língua Portuguesa.

Direitos desta tradução adquiridos pela
EDITORA CIVILIZAÇÃO BRASILEIRA
Um selo da
EDITORA JOSÉ OLYMPIO LTDA.
Rua Argentina, 171 – Rio de Janeiro, RJ – 20921-380
Tel.: 2585-2000

Seja um leitor preferencial Record.
Cadastre-se e receba informações sobre nossos lançamentos e nossas promoções.

Atendimento e venda direta ao leitor:
mdireto@record.com.br ou (21) 2585-2002

Impresso no Brasil
2012

Para

Helena Severo
Fernando Henrique Cardoso e
Eduardo Portella.

O passado não está morto e enterrado; na verdade, ele nem mesmo é passado.

William Faulkner

Não existe documento de cultura que não seja, ao mesmo tempo, um documento de barbárie.

Walter Benjamin

Sumário

Prefácio

É frequente em nós a sensação de que estamos no começo dos tempos. Aliás, isso não ocorre só com os brasileiros. Carlos Fuentes sugeriu, em um belo ensaio sobre a cultura do México, que é comum aos latino-americanos o sentimento de que somos testemunhas de nossas próprias origens. Quanto ao Brasil, não deve ter sido por acaso que Stefan Zweig marcou em nós o carimbo de "país do futuro". Joaquim Nabuco, no século XIX, encontrou outras palavras para a mesma ideia: é "como se estivéssemos ainda derribando a mata virgem". De um modo ou de outro, aqui, ou em qualquer campo de atividade de que se trate, é como se houvéssemos sempre que começar, ou recomeçar.

Este ensaio é uma reflexão sobre os primeiros tempos de nossa história. É também um pouco sobre a Ibéria, em tempos anteriores a nós, mas que são parte formadora do que somos. Herdeiros da última Idade Média, somos fruto de um dinamismo renascentista ibérico cuja peculiaridade foi a de se expressar na conquista do mundo mais do que nas obras de arte. Nos primeiros tempos deste novo mundo nascido da violência, da cobiça e da fé, o que mais surpreende é o quanto sua história ajuda a compreender os tempos atuais.

A construção do Brasil começou com a conquista do território nacional e continua até os dias que correm. Nos dois primeiros séculos, é certo que os missionários que acompanharam os conquistadores deixaram seus sinais na tomada e ocupação das novas terras. É certo também que poucas conquistas na história terão sido tão envoltas em mitos e lendas como as desta parte do mundo. Mas a verdade é que, com raras exceções, as regiões que compõem o Brasil de hoje foram conquistadas a ferro e fogo. Ficaram em nós desses primeiros séculos as feições e as cicatrizes da conquista. E também, evidentemente, o orgulho de sermos herdeiros de um território imenso.

Este livro não seria possível sem a bolsa que recebi da Fundação de Amparo à Pesquisa do Estado do Rio de Janeiro (Faperj), à qual se juntou o apoio institucional do Programa de História Comparada do Instituto de Filosofia e Ciências Sociais da UFRJ. Quero agradecer ainda a leitura e os comentários que recebi do professor Rubem Barboza, da Universidade Federal de Juiz de Fora, dos professores José Álvaro Moisés e Edson Nunes, do Núcleo de Estudos de Políticas Públicas (NUPPS) da Faculdade de Filosofia, Letras e Ciências Humanas (FFLCH) da USP e de Cícero Araujo e Bernardo Ricupero, da FFLCH da USP.

Francisco C. Weffort

PRIMEIRA PARTE   Heranças Ibéricas

CAPÍTULO I Terra de conquista

Em geral, nos países ibero-americanos, os primeiros europeus são chamados de conquistadores. No Brasil, de modo diverso, os conquistadores são quase sempre designados como descobridores. É que na imagem que prevalece sobre as nossas origens, dizer que o país foi descoberto envolve a suposição, nunca inteiramente explicitada, de que o território que conhecemos estava aí desde sempre, "ao som do mar e à luz do céu profundo". À espera da chegada gloriosa dos descobridores.

Na história da Espanha a conquista da América assumiu uma conotação pesadamente negativa, pelo menos entre os padres. O dominicano Bartolomeu de Las Casas, grande defensor dos índios, abominava a própria palavra "conquista", que considerava um vocábulo *"tiránico, mahoméico, abusivo, improprio e infernal"*, quando aplicado ao Novo Mundo. Entendia Las Casas que, diferentemente da guerra dos cristãos pela retomada da Península Ibérica a partir do século VIII, não haveria no século XVI do Novo Mundo *"conquistas contra moros (...) que tienen nuestras tierras, persiguen los cristianos y trabajan de destruir nuestra sancta fe"*. Para o grande missionário, a posse dessas terras não deveria chamar-se conquista, mas sim *"predicación de la fe y conversión y salvación de aquellos infieles que están aparejados sin tardanza alguna para recibir a Jesucristo por universal Criador, y a Su Majestad por católico y bienaventurado Rey"*.[1] E Las Casas se empenhou para que assim fosse. A realidade da dominação espanhola daqueles tempos foi, porém, muito diferente do que pretendiam o grande dominicano e seus seguidores.

No Brasil, no mesmo século XVI, o jesuíta Manuel da Nóbrega defendeu teses semelhantes. Seguiu esses mesmos ideais um século depois o padre Antônio Vieira, também jesuíta, que, vale sempre lembrar, é considerado por alguns historiadores como "o último grande pregador da Idade Média". Não obstante o grande empenho desses missionários, a história brasileira registra a imagem de uma conquista que não foi de modo algum pacífica. Já nos *Diálogos das grandezas do Brasil*, de 1618, somos lembrados que, nas origens do país, se fez "uma mistura de sangue assaz nobre" entre índios e lusos. E que muitos desses seriam "homens nobilíssimos e fidalgos". Porém, o historiador Pedro Calmon que anota essas referências dos *Diálogos* registra logo a seguir uma nota curiosa sobre os índios. É que a *Nova gazeta da terra do Brasil*, de um século antes, dizia também que "não há [nos índios] nenhum vício, a não ser que um povoado guerreie a outro".[2] A guerra, comum entre os índios, era também um dos traços mais fortes dos europeus que chegaram ao novo território.

Apesar das imagens de uma suposta fidalguia dos lusos e de uma ausência, igualmente suposta, de vícios dos índios, sobram nos primeiros séculos exemplos de violência de parte a parte. Sabemos que o Brasil, como os demais países ibero-americanos e o Novo Mundo em geral, foi conquistado em meio a guerras quase permanentes. E, embora os índios tenham sido afinal derrotados, a pior das injustiças que a história poderia fazer-lhes seria a de considerar que tenham sido vítimas inermes. A verdade é que eles lutaram durante dois séculos. E desses tempos de lutas ficaram na sociedade brasileira marcas e sinais que permanecem até hoje.

"Encontrei a terra toda em guerra", disse Mem de Sá em sua primeira carta ao rei de Portugal. O segundo governador-geral do Brasil (1557-1571) captou bem o espírito do primeiro e do segundo séculos da colônia brasileira. Se os índios eram propensos à guerra, os conquistadores não o eram menos. Desde o descobrimento até o Tratado de Madri (1750), os portugueses tiveram de enfrentar não apenas os índios, mas também os corsários da França, Inglaterra e Holanda, além de uma complicada relação com a Espanha. Exploraram em benefício próprio a propensão belicosa dos nativos, seja como eventuais aliados, seja como incômodos adversários que, segundo seus critérios de expansão, haveriam de expulsar a qualquer preço. A "guerra guarani" (1754-1756) no período de Pombal, entre jesuítas, índios, portugueses e espanhóis, foi o último grande combate desse longo período histórico.

O Tratado de Madri (1750) entre Portugal e Espanha substituiu o de Tordesilhas (1494). Reafirmado por tratados subsequentes, entre os quais o de Santo Ildefonso (1777), definiu o território da colônia luso-americana, com um contorno muito parecido com o do Brasil atual. Já em meados do século XVII foi possível perceber que nesse imenso território, quase um continente, algo da vida e da capacidade de luta dos colonos começava a escapar ao controle da metrópole portuguesa. As guerras que conduziram à expulsão dos holandeses de Pernambuco deixaram transparecer um sentimento nativista que prenunciava os movimentos de rebeldia de Felipe dos Santos e dos "inconfidentes" nas Minas Gerais do século XVIII. Nos conflitos, bem como na convivência e na miscigenação desses séculos, as gentes da colônia deixavam entrever germes de uma consciência de si que havia de acompanhar o país independente desde o início do século XIX em diante.

Na história da Europa o símile mais próximo da conquista da América Ibérica, inclusive o Brasil, é o da Reconquista da Península Ibérica. A Reconquista começou no século VIII e terminou no século XV, em 1492, com a tomada de Granada pelos cristãos, precisamente quando começou a conquista da América. A partir daí, repetiu-se em terras americanas muito do que foi a longa guerra de séculos da retomada da Ibéria pelos cristãos. Anote-se, além disso, que as antigas lutas da Reconquista formaram Portugal e Espanha como reinos nacionais. Por seu lado, a conquista do Novo Mundo acabou por criar um terreno fecundo no qual germinaram os mitos fundadores do Brasil, bem como o dos demais países ibero-americanos.

Vestígios desses tempos deixam-se ainda perceber nos grotões rurais e nos segmentos populares urbanos da sociedade brasileira. Transparecem, por exemplo, em festas populares e religiosas dos interiores, notadamente nas cavalhadas do sul e do centro-oeste do Brasil, em que ainda se confrontam "mouros" e "cristãos", mesmo que apenas simbolicamente.

Ou nas celebrações do círio de Nazaré nas ruas de Belém do Pará, em devoção a Nossa Senhora de Nazaré, que, todos os anos, reúnem milhões de pessoas para relembrar lendas religiosas de Portugal do século XIII. Sob a superfície da vida cotidiana, sinais de longínquas origens sugerem que algo da tradicional Ibéria permanece mesmo nas grandes cidades do Brasil moderno. Não obstante as muitas mudanças após os séculos XVI e XVII, em especial as migrações de diversas origens europeias, africanas e asiáticas, essas festas e celebrações são uns tantos sinais da continuidade da história de um país no qual as mudanças muitas vezes se acrescentam ao passado, raramente o suprimindo.

Fé e audácia

Falar desses tempos exige algo mais do que reconhecer os ecos de uma "*leyenda negra*", de sinistra memória. Os descobrimentos dos séculos XV e XVI são parte de uma época "iluminada pelo fogo" que deu aos hispânicos — incluindo nessa designação lusos e espanhóis — motivos de glória que ecoaram em toda a Europa, suscitando um fascínio pelo menos tão grande quanto o horror das brutalidades que praticaram.[3] Sabemos que desde fins do século XVII, Espanha e Portugal apareceram na Europa como países condenados ao atraso. Mas não deveríamos esquecer que nos séculos XV e XVI os "países católicos" tomaram a dianteira da expansão da Europa para o mundo. E que algo do brilho e do fulgor dos tempos dos descobrimentos durou até meados do XVII.

A devoção religiosa e a audácia renascentista — que na Península Ibérica encontraram formas próprias — impulsionaram príncipes, navegantes e conquistadores a sair à

ESPADA, COBIÇA E FÉ

conquista de outros povos e de outras terras para fortalecer e ampliar a soberania das suas monarquias para além dos limites do Mediterrâneo. Nas ilhas e nos continentes recém-descobertos, os conquistadores de terra e de ouro foram acompanhados pelos conquistadores de almas. Primeiro, os dominicanos e os franciscanos; depois, os jesuítas, estes no Brasil mais do que nos outros países ibero-americanos. Reis e príncipes alinhavam seus povos no cenário dos conflitos religiosos da Europa e, ao mesmo tempo, capitães, governadores e "adelantados" lembravam na America recém-descoberta o poder das coroas distantes.

Em meio às suas aventuras, os sertanistas portugueses, bem como os "encomenderos" espanhóis — quase todos eles em colaboração com os governadores e as autoridades coloniais designados diretamente pelas coroas — tiveram também algum tempo para iniciar a construção de novas sociedades. É certo que, de início, essa construção não foi desejada e, quando passou a ocorrer, seguiu desígnios mal conhecidos pelos protagonistas. Mas de qualquer modo novas sociedades surgiram como frutos inesperados de suas aventuras. E se tornaram no correr do tempo em permanente exemplo da grandeza e da violência da época em que nasceram.

O historiador Capistrano de Abreu disse que "os paulistas transportaram para o seio das florestas as epopeias que os portugueses tinham cinzelado nos seios dos mares". Na verdade, esta referência de Capistrano aos "paulistas" vale para os sertanistas brasileiros em geral, os quais Basílio de Magalhães e outros pesquisadores distinguiram em diversas regiões do país. Quando se olha o panorama geral da América, talvez se possa dizer o mesmo da maioria dos conquistadores ibéricos. Um historiador português estimou em cerca de 40 mil os portugueses que construíram o império luso que alcançava América, África e Ásia. Seria impossível entender como um país tão pequeno conseguiu conquistar um império tão vasto, não fosse a mentalidade conquistadora, cujos exemplos mais típicos são os dos *condottieri* da última Idade Média.

Alimentada pela violência e pela fé, a conquista foi um fenômeno geral das Américas, estabelecendo um padrão histórico que se prolongou além do século XVII. E não se limitou aos territórios destinados aos "países católicos" pelos papas. Foi também um fenômeno de regiões mais distantes, como o Canadá, sob a influência conquistadora de ingleses e franceses. Ainda mais distante, ocorreu também na Rússia, que, a ferro e fogo, crescia para a Sibéria, sob o domínio de Ivan, o Terrível.[4] Com as qualificações necessárias, servem também de exemplo os Estados Unidos, já no século XVIII, nos momentos iniciais do capitalismo industrial, bem como no *rush* do ouro e na "marcha para o oeste" do século XIX. Ainda no século XIX, ocorreu na Argentina, na "conquista do deserto". Poderiam ser muitos os exemplos de regiões formadas pela conquista, entre as quais o Brasil é apenas um caso a mais, embora com suas peculiaridades e diferenças.

A construção da soberania lusa no Brasil foi um capítulo demorado, só possível depois da derrota das pretensões da França, da Inglaterra e da Holanda. Na Península Ibérica, um processo semelhante levou à formação da Espanha da época moderna como um reino plurinacional sob o domínio de Castela. Algum tempo antes disso, Portugal formara-se na península como o único reino independente dos castelhanos.

Como sugeriu o historiador luso António Sérgio, "até a segunda metade do século XVII espanhóis-portugueses e espanhóis-castelhanos apresentam duas elites que vivem intelectualmente numa mesma civilização".[5] Estreitamente ligadas entre si por vínculos dinásticos e familiares, as elites desses países tornaram inevitável o triunfo da Contrarreforma e foram se afastando da Europa de além-Pirineus. "Nascido em 1140 como reino específico, embora ainda na dependência de um 'império' hispânico, Portugal medieval teve uma evolução muito semelhante à do reino de Castela."[6] Os dois "países católicos" percorreram "histórias paralelas", nas quais muitos sonharam com a ideia de uma monarquia dualista, "com um só soberano para Portugal e Castela".[7] Camões, em seu tempo, dizia que preferia falar de *castellanos y portugueses, porque españoles lo somos todos*".[8] É claro que ele se referia a uma herança cultural comum, evidente no bilinguismo de escritores lusos de sua época, não obstante a propensão popular portuguesa a um sentimento anticastelhano. Essa desejada união das coroas veio a ocorrer de 1580 a 1640, num momento decisivo das origens do Brasil e dos países ibero-americanos. Mas, de um ou de outro modo, no âmbito da mesma civilização, Portugal e Espanha formaram dois impérios, mais do que dois países independentes. E nesses impérios, como seria inevitável, as colônias assumiram, de um lado e de outro, algumas semelhanças.

É certo que houve também importantes diferenças, mas, nas duas Américas ibéricas, os desafios eram os mesmos: a posse do território, a conquista de riquezas e a dominação dos nativos. A conquista espanhola do México e do Peru se realizou em algumas décadas, a conquista portuguesa do Brasil tomou cerca de dois séculos. Mas, nos dois lados da América, a Igreja, que contava algumas manifestações em favor dos índios, não cogitava defender os negros que começavam a chegar, já como escravos, previamente submetidos pelos sobas africanos e pelos negreiros que os exportavam. Nos dois lados, o espanhol e o português, a escravidão dos negros manteve-se por muito tempo, por assim dizer, invisível.

Para lusos e espanhóis, porém, a dominação dos índios apresentou a novidade histórica de um grande problema prático e moral. Considerada indispensável no início da colônia, a conquista dos índios foi motivo de atritos frequentes com a Igreja e com as restrições impostas pela Coroa. Foi a parte mais difícil dos primeiros séculos e, para os índios, a mais brutal. Uma razão a mais, no caso dos portugueses, para que tenha sido tão demorada a conquista da vastidão territorial que foram lançados a dominar. E, mais ainda, porque a conquista lusa esteve sempre submetida a uma relação complicada com a Espanha e a disputas com as demais monarquias europeias, como França, Holanda e Inglaterra. A propósito, Pedro Calmon nos lembra que inicialmente o corso era, sobretudo, matéria dos franceses. Índios brasileiros (tabajaras ou caetés) foram, por vezes, exibidos em feiras de Dieppe, Honfleur, Havre, Bordeos, Marselha. A perseguição de portugueses (e espanhóis) dava à pirataria dos franceses "um aspecto terrível".[9]

Portugueses e espanhóis eram herdeiros diretos das tradições de uma história que lhes deu o gosto da expansão e as técnicas da conquista. Formados para as aventuras nas lutas da Reconquista, eles primeiro saíram ao mar pelas ilhas mais vizinhas da Europa. Os lusos fizeram expedição às Canárias já no século XIV. Chegaram, depois, às ilhas do Atlântico: Porto Santo (1418 e 1419); Açores (1427-1432); Cabo Verde (1460); Equador (c.1486). Em algumas dessas ilhas, que eram desabitadas e foram todas povoadas pelos descobridores, os lusos repetiram experiências de colonização já feitas nos Algarves em séculos anteriores e que reproduziam experiências prévias dos italianos no Mediterrâneo. Essas experiências pioneiras seriam depois reproduzidas no Brasil.[10] Já na primeira metade do século XV, Portugal iniciou com a tomada de Ceuta (1415) o périplo africano em busca de ouro, marfim, pimenta e escravos. E por esse caminho, na direção sudeste, chegaria depois às sonhadas Índias. Os espanhóis preferiram tomar a direção contrária, no sentido oeste, e em 1492 descobriram as ilhas do Caribe, ou seja, a América. Logo a seguir, partiram para o México e o Peru.

Quando chegaram em 1500 ao território que chamaram de Ilha de Vera Cruz, os portugueses não podiam ainda perceber que estavam abrindo caminho para a conquista de um imenso território. Em meados do século XVIII, quando foi assinado o Tratado de Madri, a distribuição dos territórios nas Américas havia tomado feições muito próximas às que conhecemos hoje. Embora os dispositivos do Tratado de Madri tenham sido submetidos a discussões durante muito tempo, a principal divisão permaneceu entre Espanha e Portugal. Quanto à Inglaterra e à França, ficaram com as ilhas do Caribe, que dividiram entre si e com a Espanha. Ao norte da América, os ingleses e os franceses ficaram com as partes importantes, nas quais surgiriam os Estados Unidos e o Canadá. Mas Inglaterra e França tiveram menos sorte ao sul, onde, apesar de suas pretensões e de seus agressivos corsários, pouco lhes restou, com exceção das Guianas, que dividiram com a Holanda.

CAPÍTULO II Um país de fronteira

O Brasil surgiu como uma fronteira da Europa. Essa afirmação consagrada pelos historiadores é verdadeira, porém demasiado genérica. Mais correto seria acentuar, de modo específico, que o Brasil surgiu como uma fronteira da Ibéria, uma "zona fronteiriça, indecisa entre a Europa e a África".[11] No período dos descobrimentos, os "países católicos" já eram muito diferentes da França e Inglaterra, que firmaram a imagem da Europa dos tempos modernos. Na Reconquista que tomou alguns séculos de luta e de conturbada convivência com os mouros, a Ibéria se consolidou como uma fronteira da Europa contra o islamismo que a partir do século VII havia tomado quase todo o Mediterrâneo.

Sérgio Buarque de Holanda chamou a atenção, em *Raízes do Brasil*, para aspectos da cultura da Península Ibérica, notadamente o personalismo, na formação histórica do Brasil, coincidindo com Gilberto Freyre, em *Casa grande e senzala*, sobre as raízes ibéricas do nosso patriarcalismo.[12]

Em estudo sobre a obra de Sérgio Buarque, Robert Wegner assinala que "o principal traço ibérico é o desenvolvimento extremado da *cultura da personalidade*". Essa cultura tinha uma relevante consequência. Era "o bastar-se a si próprio (...) sem permitir a estabilização de interesses comuns". Daí que "a associação política só é possível entre essa gente se instaurada por uma força exterior".[13] Veremos esses aspectos, com mais detalhes, um pouco mais adiante.

Essas antigas heranças culturalistas de Sérgio Buarque de Holanda e Gilberto Freyre tiveram, porém, realce menor nos ensaios de sociologia histórica que vieram depois deles. Já nas primeiras décadas do século XX, quando esses autores escreveram suas obras mais sugestivas sobre as origens do Brasil, o país buscava afastar-se de seu passado agrário e encaminhar-se para a industrialização. E a ênfase de muitos ensaístas começava a se deslocar para as origens econômicas do capitalismo no país. Em 1936, Roberto Simonsen, em suas notas para *História econômica do Brasil*, tentou caracterizar como capitalista o "plano de colonização". E, contudo, há que se convir, havia bem pouco de capitalismo no século XVI de dom João III, ainda envolto na atmosfera cultural da última Idade Média. É que a preocupação maior de Simonsen era com a economia brasileira.

Também para esse lado se voltou Caio Prado Jr. que, na sua obra histórica mais importante sobre a colônia, foi buscar as raízes econômicas do Brasil no século XVIII.[14]

Aí se encontraria o que Caio Prado chamou de "o sentido da colonização" do Brasil, no qual "se contém o passado que nos fez; alcança-se aí o instante em que se formaram os elementos constitutivos da nossa nacionalidade".[15] De olho nos problemas econômicos de sua época, Simonsen e Caio

Prado viram na colônia um capítulo da expansão do capitalismo comercial da Europa. As ênfases cronológicas eram diferentes em Prado e Simonsen, mas as luzes poderosas de suas interpretações iluminaram aspectos importantes da colônia já formada e deixaram na sombra aspectos importantes dos primeiros séculos da colônia em formação. A partir dos pontos firmados por essas decisivas contribuições intelectuais, ficaram esmaecidas, quase esquecidas, as raízes históricas mais profundas do poder e da cultura da sociedade brasileira.

Quando examinamos os séculos XVI e XVII, percebemos que as origens do Brasil se devem, sobretudo, às tradições sociais e culturais do medievalismo de uma época em que o capitalismo comercial era ainda muito frágil. É certo que já se encontravam germes de capitalismo em lugares isolados da Europa, notadamente Flandres e umas poucas cidades italianas. Mas o expansionismo dos "países católicos" nasceu de outras raízes.

Nasceu, sobretudo, das memórias de um cruzadismo que, tendo sido um fenômeno geral da Europa nos séculos XI e XII, durou na Ibéria muito mais tempo do que se costuma admitir. Segundo o historiador luso Oliveira Marques, os reis portugueses mantiveram até o século XVII planos de conquista de regiões árabes da África. Seriam planos ou apenas sonhos? Em todo caso, há quem considere a tresloucada aventura de Alcácer-Quibir (1578) inconcebível sem a memória do cruzadismo. Alguns anos depois, não teria ocorrido sob a influência desse mesmo espírito a desastrada investida da grande armada "invencível" para os espanhóis, mas que foi desbaratada no canal da Mancha pela tempestade e naufragada debaixo do fogo dos canhões ingleses?[16]

Como dizem Arno e Maria José Wehling, "forjou-se, nos últimos anos da Idade Média, um mundo novo", resultado de uma "gestação multissecular, na qual tem início a história do Brasil".[17] Alguém já observou que se a última Idade Média foi o outono de que fala o livro clássico de Johan Huizinga, foi também o alvorecer de uma nova era. Os novos caminhos do mundo nos séculos XV, XVI e XVII surgiram da peculiar combinação de uma evanescente tradição e de um inovador e poderoso renascimento. O incipiente capitalismo comercial de alguns lugares europeus foi apenas um dos ingredientes dessa complexa combinação.

Não por acaso, Holanda, França e Inglaterra tiveram um papel apenas secundário nos descobrimentos e na conquista da América. Só a partir do século XVII e, sobretudo, XVIII assumiram a dianteira do capitalismo. O fato de que esses países do norte da Europa tenham tomado as glórias das origens do capitalismo não impede reconhecer que foram os países da península que tiveram os grandes méritos dos descobrimentos e da conquista do Novo Mundo. A chegada dos primeiros imigrantes portugueses a São Vicente, com Martim Afonso, e à Bahia, com Tomé de Sousa, ocorreu quase dois séculos antes dos primeiros peregrinos aportarem em Plymouth no norte da América.

Dominação e imigração

Na história, a antecipação tem consequências, tanto quanto os eventuais atrasos. A mistura de tradição e renascimento que acompanhou as glórias ibéricas da conquista nos séculos XV e XVI também acelerou a decadência de Portugal e Espanha nos séculos seguintes. No Brasil, como em outros países ibero-americanos, a nova sociedade nasceu impregnada em aspectos essenciais de sua cultura, formação de poder e hierarquia social, de um rude medievalismo, agressivo e violento, que estabeleceu os inícios eminentemente rústicos de uma sociedade que tomará muito tempo para sofisticar-se e refinar-se. O padre Serafim Leite, historiador dos jesuítas no Brasil, disse que, para os primeiros missionários, o sertão "era qualquer lugar distante da costa não ainda povoado pelos portugueses".[18] Outros historiadores observaram algo de semelhante mesmo em lugares não tão distantes da costa, tal era a proximidade esmagadora do sertão dos primeiros tempos. O sertão começava logo ali, na vizinhança das vilas do litoral, aliás pouquíssimas.

Desde a segunda metade do século XVI, tanto mais se agravava a decadência das metrópoles ibéricas, mais as colônias recém-iniciadas apareciam-lhes como tábuas de salvação. É que nas colônias não havia somente padres, índios, escravos e burocratas. Havia também, além do espírito agressivo dos conquistadores, um número expressivo de imigrantes que ajudaram a oferecer algum dinamismo à pequena população de povoadores. Não obstante seu tradicionalismo, eles foram capazes de transferir para as colônias algo da capacidade de iniciativa e da agressividade típica de homens que fugiram das misérias da Europa e buscavam novos caminhos para ganhar a vida e, eventualmente, enriquecer. Na história do Brasil, enfatiza-se em excesso o fracasso das primeiras capitanias, até o ponto de desconhecer a relevância de alguns imigrantes que chegaram a Pernambuco, Bahia e São Vicente. Para muitos desses homens teria todo sentido a frase de Bernal Diaz Del Castrillo, soldado espanhol que acompanhava Cortéz no México: "Viemos aqui para servir a Deus, e também para enriquecer."[19]

Houve no século XVI uma frequente preocupação de atrair imigrantes. Dava-se início a uma preocupação de atrair mão de obra, tanto de escravos quanto de homens livres. Desde fins do século XIX essa importação se tornará mais intensa, agora concentrada na importação de trabalhadores livres. A preocupação de atrair mão de obra é, porém, constante, desde inícios da colônia. Segundo Capistrano de Abreu, a *História da Província de Santa Cruz* (1578), de Pero de Magalhães Gandavo, teria sido um livro de propaganda, escrito com o objetivo de atrair imigrantes. Também teria tido intenção de propaganda outro clássico da literatura colonial, o *Tratado descritivo do Brasil em 1587*, de Gabriel Soares de Souza, escrito em Madri com o explícito objetivo de buscar recursos para pesquisar minas.

No início, atrair gente para a colônia era também objetivo dos padres. Manuel da Nóbrega, preocupado com o isolamento pessoal dos recém-chegados de Portugal, propensos por isso a assimilarem os costumes dos índios, escreveu ao rei em meados do século XVI pedindo que enviasse mulheres com as quais poderiam formar famílias e, assim, criar raízes na colônia. É evidente que a preocupação de Nóbrega tem muito a ver com os frequentes acasalamentos entre homens portugueses e mulheres indígenas que ele via como desregramento. Anote-se, porém, que não o preocupava tanto a miscigenação quanto a adoção do hábito indígena de ter muitas mulheres, deixando assim os portugueses de assumir os compromissos de família definidos pela tradição cristã. Em todo caso, o certo é que, bem antes da descoberta das "minas gerais" em inícios do século XVIII, alguma propaganda da terra parecia necessária. E pode-se supor que, com todas as dificuldades normais em iniciativas desse tipo, os que a realizaram alcançaram seus objetivos.

Quando afirmo anteriormente que os inícios da colônia são marcados por um rude medievalismo, não quero sugerir que aqueles fossem tempos de estagnação. Em termos gerais, é um equívoco imaginar que os tempos medievais, em particular a última Idade Média, foram de estagnação. Jorge Caldeira tem razão ao indicar nas relações entre portugueses e índios a presença de um "empreendedorismo" que se acumpliciava com mecanismos de troca baseados na violência.[20] Mas me parece um equívoco descrever o empreendedorismo aventureiro e selvagem daquele tempo como capitalista. Esclarece Gandavo sobre os primeiros tempos: "Porque como estes Indios cobiçam muito algumas cousas que vam deste Reino, convem a saber, camisas, pelotes, ferramentas, e outras peças semelhantes *vendiam-se a troco dellas huns aos outros aos Portuguezes*: os quaes a voltas disto salteavam quantos queriam."[21] Não há como ignorar que as atividades de troca, em especial as que conviviam com a prática do resgate, eram diretamente apoiadas na violência.

É oportuno lembrar a definição da escravidão que Orlando Patterson retoma de Marx como a de "uma relação de dominação" apoiada no trabalho compulsório direto. Diferentemente, o assalariado na relação de dominação capitalista se reconheceria no trabalho compulsório indireto. Significa dizer que "a escravização era cativeiro, o destino do perdedor num embate por poder. Os escravos eram infiéis ou bárbaros". Ou seja, na escravização do índio, "o senhor efetuava essencialmente um resgate. O que ele comprava ou adquiria era a vida do escravo, que não tinha uma existência socialmente reconhecida fora do domínio de seu senhor".[22] Nesse sentido, a escravidão significava a "morte social" do índio, do negro ou de quem mais fosse subjugado naquela forma de dominação.

Na mesma linha de argumento, embora a partir de uma concepção diferente da sociedade, diria o padre Serafim Leite a propósito dos nativos encontrados na América pelos europeus: "Os costumes, nas suas guerras, de os índios cativarem os contrários, e depois os matarem e comerem, ministraram um motivo justo para a escravidão. Em vez de os matarem, vendiam-nos (...). Quem os comprava resgatava-os. O termo resgate aplicou-se em breve a outras compras e aos próprios objetos que se davam em troca: resgates. O direito admitia essa forma de escravidão, como também a que provinha das chamadas guerras justas, que foram a primeira fonte de escravidão no mundo antigo em que tantas vezes o conceito de vitória substituía o de justiça (*Vae victis!*)."[23]

Em todo caso, essa dominação escravista não era incompatível com as primeiras ondas de imigrantes. Afirma Boxer que para os fins do século XVI o crescimento dos brancos na colônia estava associado ao crescimento dos negros. Os trabalhadores escravos "tinham-se tornado inteiramente indispensáveis (...) fosse como trabalhadores nas lavouras ou nas usinas de açúcar, fosse como carpinteiros navais, marceneiros, sapateiros-remendões, pedreiros e outros trabalhos 'mecânicos'".[24]

Diz Pedro Calmon em um estudo sobre a Bahia que a Coroa contava com a disposição de muitos portugueses para crer nas possibilidades de enriquecimento que se poderia encontrar nesta "quarta parte do mundo". E acrescenta que "a liberalidade dos governadores e da coroa em investir a gente de destinação da colônia em posses territoriais (...) multiplicava as casas de moradia, senzalas, redutos, currais, engenhos, olarias, rancharias, cerrados, da capital a Tatuapara, onde fundaram os jesuítas, governando Mem de Sá , uma aldeia de índios mansos, até Camamu, ao sul, pelas ilhas do recôncavo, formando em torno de Salvador um cordão ganglionar de povoamento escasso".[25] Quanto a São Paulo do primeiro século, diz Taunay, com apoio nos documentos da Câmara, que nessa "verdadeira aldeola de pequenos agricultores e pequenos criadores, era natural que nas decisões da sua edilidade surgissem numerosas medidas relativas à lavoura e gados".[26] No limitado dinamismo desses primeiros tempos, se faziam necessários tanto os escravos — no início índios, depois negros — quanto os trabalhadores livres.

Como disse ainda Boxer, o Brasil, entrando já no século XVII e começando a decair "os inebriantes 'fumos da Índia'", passou a ter, "em maioria", além de degredados, "seus imigrantes (entre) exilados voluntários, embora empobrecidos, à procura de melhor vida e de um novo lar".[27] Esses primeiros tempos são também os dos primeiros enclaves agrários, sobretudo na Bahia e em Pernambuco. Como se sabe, esses brotes de capitalismo só se ampliaram para outras áreas da colônia depois das descobertas que abriram o grande *rush* do ouro nas regiões dos atuais estados de Minas Gerais, Goiás e Mato Grosso, a primeira grande corrida do ouro na história do Ocidente.

Quanto aos dois primeiros séculos, as relações de troca entre povoadores e índios se caracterizavam por um extrativismo apoiado num espírito medieval de conquista. O empreendedorismo desses tempos era tipicamente um aventureirismo. Embora possa achar-se nas origens do capitalismo comercial dos séculos XVI e XVII, o ganho na troca era parte do butim a que se arrogava o guerreiro vencedor como se fosse uma honra. Na base de tudo estavam as ambições de terra e poder dos povoadores e dos conquistadores.

A riqueza vinha da terra e, como tal, só se tornaria possível com poder armado, que podia significar tanto a dominação dos seus ocupantes quanto a sua expulsão, se aquela dominação não fosse possível ou desejável. Os sonhos e as ambições dos povoadores não eram em essência muito diferentes dos sonhos e ambições que, na época, inspiravam as ações da Coroa sobre os territórios doados aos ibéricos pelos papas.

Sinais de alguma mobilidade social não eram alheios a esses brotes coloniais inspirados em um espírito de medievalismo e conquista. Alguém observou que a mobilidade social no Recife do século XVIII era maior do que em Lisboa. Na raiz, porém, também essa mobilidade era aparentada com algo que já se conhecia na Ibéria da última Idade Média.

Como sugere Rubem Barboza Filho sobre aqueles tempos da Ibéria, as aventuras da Reconquista contribuíram para cancelar "o sangue e a ascendência como premissas da nobreza e da mobilidade social". Na península ainda medieval, "as armas e as letras" organizavam fortes estímulos para a ascensão e a consolidação "de uma forma de individualismo temperada por fortes compromissos comunitários".[28] Aqui, na colônia lusa nascente, também a mobilidade social era temperada pelo personalismo característico da Ibéria, que, como na península, permitiu combinar a escravidão e a imigração ligada ao trabalho livre com os fortes laços do senhorialismo e do patriarcalismo.

Destas origens agrárias e com ampla participação de imigrantes ficou na sociedade um sinal que nos acompanha em diferentes épocas e que nem mesmo a urbanização dos tempos republicanos foi capaz de debilitar.

CAPÍTULO III A crítica da conquista

Como sempre na história, os fatos da conquista colocaram, desde a partida, o problema do seu significado. Também no Brasil dos séculos XVI e XVII, os contemporâneos não podiam ignorar as questões gerais sobre o sentido das suas ações. Os questionamentos sobre a conquista começaram com a própria conquista, se é que não foram antecipados pelo pensamento ibérico que se desenvolveu antes, na Reconquista. De um ou de outro modo, as grandes empreitadas dos ibéricos foram, lá e cá, movidas por crenças, mitos e ânsia de poder e riquezas que conduziram a uma grande capacidade de iniciativa e de violência. Os homens que as realizaram não poderiam, desse modo, passar ao largo das indagações sobre a legitimidade daquilo que estavam fazendo.

A escravidão era um dos grandes problemas da época. Era uma herança da Antiguidade que se achava em declínio na Europa e que deveria ganhar vida nova nas Américas. Aliás, não apenas nas Américas. Segundo Patterson, a instituição da escravidão foi significativa na Espanha medieval e voltou a emergir na Rússia do século XVI ao final do XVIII. Nos séculos XIV e XV, os escravos constituíam uma proporção significativa da população em Florença, bem como em Veneza e Gênova. Sabe-se que as colônias italianas do Mediterrâneo foram dependentes do trabalho escravo ao longo da Idade Média e do Renascimento. E que nelas nasceram os modelos de exploração econômica em que se basearam os sistemas de *plantation* das colônias atlânticas ibéricas, os quais, por sua vez, tornaram-se os campos de experiência para os sistemas escravistas das Américas modernas.[29]

Na Ibéria, o ressurgimento da escravidão se tornou um problema político ainda mais sensível em face das peculiaridades da história do pensamento na península. O fato de que a escravidão tenha ficado na memória ibérica como experiência da Antiguidade não foi suficiente, em face das circunstâncias próprias da cultura, para conferir-lhe legitimidade. Na Ibéria, como assinalou António Sérgio, os descobrimentos propiciaram uma enorme contribuição ao desenvolvimento do espírito moderno, em particular para o humanismo, para a criação do senso crítico e para a queda do princípio de autoridade na ciência e na filosofia.[30]

Talvez essa renovação dos séculos XV e XVI seja difícil de admitir nos dias que correm. Depois da avassaladora influência que se assinala desde o século XVII, do conservadorismo da cultura lusa, como em geral da cultura hispânica, merece atenção observar algo sobre seu dinamismo nos séculos do descobrimento. Quanto aos lusos, por força de sua enorme experiência com as navegações, cabe observar que se colocaram entre os povos europeus que primeiro perceberam os enganos dos textos da Antiguidade. Para repetir Oliveira Marques, a época dos descobrimentos foi um tempo de "revolução da experiência". "Com todas as letras, (foi) uma Revolução, e de tipo subversivo. Vinha sapar as próprias bases do pensamento e da acção que dele decorria. Por isso, combateram-na com energia os defensores da ordem existente. Foi tida por herética, absurda e imoral. E teve naturalmente as suas vítimas e os seus holocaustos."[31]

Os historiadores da Igreja não se afastam muito dessa visão sobre as mudanças de mentalidade naqueles séculos. Segundo o padre Serafim Leite, "no Renascimento, a matemática tendia a emancipar-se da física e nos Estatutos da Universidade de Coimbra de 1559, ao pé do curso das artes, distinto dele, nomeia-se a cadeira de matemática. Assim, umas após outras, as experiências físicas do mundo moderno desmoronaram as teorias do mundo físico de Aristóteles e de Ptolomeu. Mas o mesmo peso das interpretações, longo tempo admitidas, arrastava a controvérsias, que se protraíam mais do que hoje nos parece razoável."[32]

Uma mentalidade dual

Alguns historiadores lusos falaram de uma "mentalidade dual" nessa época, na qual os preconceitos dos antigos sobreviviam debaixo dos conhecimentos derivados de um novo experimentalismo. Essa mentalidade dual não passou despercebida ao historiador brasileiro João Ribeiro: "Nos mesmos indivíduos, essa contradição, sinal da grande energia e do trabalho das ideias, persiste entre a religiosidade e o livre pensamento. A viagem de Colombo é uma heresia — *el levante por el poniente*, e Colombo, entretanto, é religioso até a superstição." João Ribeiro, como historiador, estava, é claro, de olho na América. Por isso, diz, com razão, a aventura de Colombo, "foi também 'obra da Renascença'".[33]

O navegador português Duarte Pacheco Pereira (1460-1533) foi, porém, quem cunhou a divisa cultural mais célebre do período dos descobrimentos. "A experiência é madre das coisas, e por ela soubemos radicalmente a verdade." Além de navegador, Duarte Pacheco foi também geógrafo e cosmógrafo, com grande experiência do mundo, tendo visitado em 1498 as costas do Brasil, em algum ponto entre o Maranhão e o Pará. Antes, portanto, de Cabral. Ele dizia que "a experiência nos faz viver sem engano das abusões e fábulas que alguns dos antigos cosmógrafos escreveram acerca da descrição da terra e do mar". Seu exemplo sugere que, no conhecimento do mundo, o espírito do seu tempo deveria ser capaz de ir além dos antigos.

Terá sido talvez essa relativa antecipação lusa no desenvolvimento da modernidade que sugeriu a António Sérgio uma reflexão melancólica sobre a história portuguesa. Disse ele que, se o germe de humanismo iniciado nos descobrimentos tivesse podido se desenvolver, "a meta natural do pensar português seria o experimentalismo que caracterizou os ingleses (...) e na metafísica, alguma coisa semelhante ao espiritualismo científico de Spinoza".[34] Embora sem chegar a tanto, é certo que Portugal dos séculos XV e XVI caminhou (e, mais ainda, navegou) grandes distâncias pelas veredas e rotas de um novo experimentalismo. Os tempos da decadência que vieram depois não deveriam obscurecer a percepção dos tempos de brilho e audácia dos descobrimentos.

A segunda escolástica

Estudando a religiosidade da Ibéria de então, o historiador americano Lewis Hanke preferiu enfatizar que a descoberta e a conquista do Novo Mundo foram muito mais do que uma empreitada política e militar. Como contrapartida dos benefícios recebidos dos papas Alexandre VI e Júlio II, Portugal e Espanha assumiram o compromisso da evangelização das gentes das terras que poderiam descobrir. Em consequência, assumiram uma visão do império na qual os sacerdotes se tornaram assessores das respectivas coroas e seus Conselhos de Índias. Assim, os dois "países católicos" tomaram trajetórias que os tornaram semelhantes a estados teocráticos. Por isso mesmo, insiste Hanke, nenhum outro povo europeu se empenhou tanto quanto os portugueses e os espanhóis na evangelização das populações das terras recém-descobertas. E a evangelização se apoiava em dois requisitos cristãos que o historiador faz questão de lembrar: igualdade dos homens diante de Deus e a solidariedade segundo o princípio "amai ao próximo como a ti mesmo".[35]

Sem deixar de reconhecer a realidade brutal das conquistas, o historiador americano chama a atenção para as influências inovadoras da segunda escolástica ibérica, que entre seus pensadores mais notáveis inclui os dominicanos Francisco de Vitoria (1483-1543) e Domingo de Soto (1494-1570) e o jesuíta Francisco Suárez (1548-1617), todos de grande influência na Europa do seu tempo. A obra de Domingo de Soto, *De justitia et jure,* foi editada 27 vezes antes de 1600. *Las disputationes metaphisicae*, de Suárez, apareceu em 1597 e entre 1605 e 1620 foi editada mais de dez vezes na Alemanha, França e Itália.[36] Francisco de Vitoria é o primeiro e, de acordo com muitos historiadores, o mais importante fundador dessa corrente de ideias. Não tendo deixado nenhuma obra escrita, sua influência se fez através das anotações dos discípulos.

Francisco de Vitoria foi aluno e professor da Universidade de Paris e notabilizou-se por uma grande influência na Universidade de Salamanca, onde foi iniciador de um humanismo cristão formador de dezenas de professores em defesa do direito das gentes. Ele entendia que os índios eram seres humanos racionais e que não se podia justificar contra eles a guerra apenas porque eram pagãos. Segundo Vitoria, o papa não poderia atribuir a ninguém o direito de dominá-los e os índios teriam direito às suas propriedades e a seus governos. Os governantes europeus teriam de limitar-se a iniciá-los no cristianismo e a combater o canibalismo e a prática dos sacrifícios humanos. Vitoria concebeu a ideia de que o mundo "constitui uma unidade moral que abarca todos os povos" e que suas relações "devem ser regidas pelo direito natural". Defendeu também a legitimidade do que hoje se chama de objeção de consciência, quando o súdito está convencido de que a guerra é injusta. Defendeu ainda o direito de depor o soberano injusto e o regicídio.[37]

Francisco Suárez fez uma importante reformulação do conceito de soberania de Jean Bodin. Rebateu a teoria protestante do "direito divino dos reis", formulada por Jaime I, da Inglaterra, para quem o povo devia obediência absoluta ao rei por este ter um poder recebido imediatamente de Deus. Concebeu o poder político como recebido de Deus mediatamente para os governantes, por intermédio da sociedade organizada: o poder vem de Deus e é atribuído a toda a comunidade política. No "pacto de sujeição", tal como o entende, é a própria sociedade que designa o titular do poder e lhe confere autoridade. Para Suárez, o poder é uma realidade moral e só surge quando a sociedade se institui em sociedade política, que é uma pessoa moral autônoma. Nessa perspectiva, o poder do rei, transmitido pelo povo, era por isso revogável. Ao povo organizado em comunidade política assistia o direito de deposição do rei quando esse não cumpria os termos do contrato de sujeição.

Após retornar do Colégio Jesuíta em Roma, em 1593, Francisco Suárez foi professor em Coimbra, onde passou a escrever sobre filosofia jurídica e política. Após sua morte em Lisboa, os jesuítas de Portugal publicaram dez volumes dos seus trabalhos, entre 1619 e 1655, dando origem a um vasto conjunto de edições parciais em diversas cidades de Portugal, Espanha, Itália e Alemanha. A sua obra foi muito considerada no século XVII, exercendo influência em autores como Grotius, Descartes e Leibniz.[38]

Em visão semelhante à de Lewis Hanke, o historiador espanhol Claudio Sánchez-Albornoz ressalta a dimensão humanista da "nova escolástica hispânica", que "se moveu em um ambiente renascentista exaltador da personalidade humana". E cabe enfatizar que aqui a menção ao "hispânico" inclui tanto a Espanha quanto Portugal, em cujas sociedades a religiosidade era parte integral da vida. Assim, é fácil compreender que em ambos os países o grande debate em torno desses temas teria de ocorrer no interior da Igreja, em alguns casos por iniciativa das coroas, que necessitavam de conselhos dos padres para desenvolver suas políticas. A partir das Universidades de Salamanca e de Coimbra, as ideias sobre a humanidade dos índios tomaram dimensões de um grande movimento de que participaram grandes pregadores da Igreja que as difundiram para todo o mundo, inclusive para as colônias.[39]

Não obstante a grande receptividade das teses em defesa dos conquistadores, as manifestações dos escolásticos em defesa da dignidade dos índios alcançaram grande repercussão em toda a Europa. O Concílio de Trento (1545-1563), mais lembrado na história pelo seu ranço conservador, foi também um cenário para a Reforma católica e nele os pensadores da segunda escolástica defenderam a dignidade da razão humana.

"Vocês estão em pecado mortal"

A crítica da conquista do Novo Mundo começou antes mesmo que se iniciassem as grandes conquistas territoriais do Brasil, do México e do Peru, as regiões mais importantes da expansão ibérica na América. Em 1511, apenas iniciada a ocupação de Hispaniola (São Domingos), descoberta por Colombo em 1493, a crítica começou por meio de um célebre sermão do frei Antônio de Montesinos dirigido aos povoadores. Bartolomeu de Las Casas, que ainda não era um sacerdote, mas apenas um dentre os povoadores, relatou que o sermão de Montesinos era um veemente protesto. "Eu sou uma voz pregando no deserto", dizia o frei. E "esta voz diz que vocês estão em pecado mortal" (...) "Digam-me, por que motivo de direito ou de justiça, vocês mantêm estes índios em uma servidão tão horrível e cruel? Eles não são homens? Eles não têm almas racionais? Vocês não estão obrigados a amá-los como a si próprios?"[40]

Las Casas não foi o único caso de conversão nesses tempos, mas um dos mais notáveis. Ele participara da expedição de Nicolás de Ovando a Hispaniola, mas teve suas convicções de conquistador abaladas pelas palavras de Montesinos. Considerada a mentalidade religiosa da época, os padres não podiam deixar de expressar seus problemas de consciência diante das atrocidades da conquista. E é bem provável que problemas de consciência deviam existir também em muitos povoadores, eventualmente horrorizados pela ignomínia da violência que sofreram e, no mais das vezes, praticaram em suas aventuras no sertão. Eles podiam desobedecer — de fato, muitos desobedeceram — determinações do rei e da Igreja. Mas não podiam ignorar que o faziam. Não é possível que ignorassem o significado das suas ações.

As críticas que surgiram com Montesinos e se alongaram por dois séculos nos escritos de Bartolomeu de Las Casas e de Antônio Vieira expressavam uma das visões da Igreja sobre a humanidade dos índios. Mas a Igreja tinha ainda outra visão sobre o tema, tão ou mais influente do que a primeira. Para o frade Juan Ginés de Sepúlveda (1490-1573) a condição indígena deveria ser identificada com a categoria aristotélica dos "escravos por natureza". Sepúlveda cuidou de justificar a escravização dos nativos e se converteu no principal defensor dos conquistadores. A propósito, pode-se admitir que não deveria ser fácil aos dominicanos e jesuítas opor-se a essas ideias, que se fundamentavam em referências à *Política* de Aristóteles, de enorme influência em toda a Idade Média. Como para Sepúlveda o modo de vida dos índios deveria ser visto como de "inferioridade natural", as conquistas deveriam ser entendidas como exemplos de uma guerra santa contra infiéis. Haveria que conquistar o Novo Mundo, e a escravização dos indígenas seria um caminho para a sua conversão.[41]

Essas diferentes imagens sobre a conquista e a escravidão têm também suas origens nos séculos da Reconquista. Os países ibéricos vinham gestando, desde muito antes de suas primeiras aventuras coloniais, uma visão da universalidade humana mais rica e complexa do que as de qualquer outro país europeu. É que a Reconquista, colocando os cristãos em conflito prolongado com os mouros, foi também entremeada por tréguas que permitiram contato e convivência entre as gentes da península. Não obstante as muitas tensões e conflitos, "durante mais de três séculos a coexistência entre judeus, cristãos e muçulmanos foi exemplar, e o florescimento de intelectuais, particularmente fecundo".[42] Sem tal experiência cultural não teriam sido possíveis os debates na Junta de Teólogos de Valladolid (1550), convocada pelo imperador Carlos V, e aos quais compareceram Las Casas e Sepúlveda.

Na época o tema da humanidade dos índios não era apenas um assunto para teólogos e humanistas. Carlos V (1500-1558) convocou a Junta de Valladolid na esperança de obter aconselhamentos da Igreja em face de um imenso problema prático. A Igreja, que ele acreditava depositária da sabedoria do mundo, deveria poder sugerir-lhe algo de valioso sobre o relacionamento com os nativos nas colônias.[43] É preciso lembrar que Carlos V era o maior rei europeu do seu tempo, tendo governado sobre a Espanha e o Império Romano-Germânico, o que quer dizer que reinava sobre boa parte do mundo conhecido.

Como João III (1502-1557), seu contemporâneo de reinado em Portugal, Carlos era um homem prático e também profundamente religioso. Em 1556, debilitado pelas doenças, abdicou da Coroa em favor de seu filho Filipe e retirou-se para viver seus últimos dias no mosteiro de San Jerónimo de Yuste.

Filipe foi o fundador da União Ibérica, aliança das coroas de Portugal e de Espanha, que começou em 1580 e terminou em 1640, um longo período de direta influência castelhana (e espanhola em geral) sobre Portugal e suas colônias. Vale lembrar, a propósito, que as ordenações filipinas, criadas a partir de uma reforma das ordenações manuelinas, deveriam durar no Brasil mais de cem anos.

Os jesuítas em face da escravidão

A Espanha foi mais longe do que Portugal nas indagações sobre a natureza humana dos índios. Mas carece de fundamento a alegação de alguns historiadores de que os portugueses não teriam uma consciência moral sobre os fatos da conquista. Além de que os dois países pertencem à mesma tradição cultural, não há como ignorar que as universidades e a Igreja dessa época participaram dos mesmos movimentos de ideias. No caso do Brasil, há que assinalar ainda a afinidade fundamental dos jesuítas com o gênio ibérico. Inácio de Loyola, criador da Companhia de Jesus, era espanhol e a ordem religiosa que criou foi a de maior influência sobre a questão dos índios no Brasil.

Em todo caso, são mais antigos do que Loyola os sinais de uma consciência moral portuguesa em relação a negros e índios. Já no século XV, o cronista de dom Henrique, Eanes de Zurara, em suas *Crônicas da tomada de Ceuta*, lamentava a sorte dos negros separados de suas famílias na entrega aos traficantes. E, no século XVI, Camões, que cantou nos *Lusíadas* a grandeza dos portugueses, não se viu impedido de reconhecer a enormidade de suas ignomínias nas Índias.[44]

Os tempos dos descobrimentos foram duros, mas não lhes faltaram momentos nos quais se formou alguma consciência de suas próprias injustiças.

Assim como não se pode descrever as origens do Brasil sem a caça aos índios, também não se pode descrevê-las sem as críticas dos missionários. Manuel da Nóbrega chegou ao Brasil com os jesuítas João de Azpilcueta Navarro, Antônio Peres e Leonardo Nunes e com os irmãos Vicente Rodrigues e Diogo Jácomo. Diz Serafim Leite que "ao princípio, os padres sustentavam-se de esmolas e benemerências dos homens do governo, mas ainda não era decorrido um ano e já se dava, pelo almoxarifado régio, o subsídio mensal de um cruzado (400 réis) a cada um dos seis primeiros da Companhia".[45] Nos mesmos anos da Junta de Valladolid, o padre Manuel da Nóbrega, recém-chegado à Bahia, criticava os "cristãos" (pois assim designava os povoadores e sertanistas) por suas violências e maus-tratos contra os índios em geral, "conquistados em guerra injusta".[46]

Manuel da Nóbrega escreveu no *Diálogo sobre a conversão do gentio* um princípio fundamental — "os gentios são capazes de se converter (...) porque são homens." Neste princípio apoiava sua defesa dos índios e suas críticas aos povoadores e sertanistas.[47] O bandeirante Domingos Jorge Velho que estava muito longe de ser um pensador e se aproximava, talvez sem o saber, das ideias de Sepúlveda, combateu, certa vez, as críticas dos jesuítas com as seguintes palavras: "Eles pensam transformar os índios em anjos, mas não podem fazê-lo antes que se tornem homens."

No espírito daquele tempo parecia escrito que a condição para que um índio se tornasse um homem seria a de que primeiro se tornasse escravo dos europeus. Embora na

Europa a escravidão estivesse em decadência, na colônia era considerada necessária ainda que muitos a vissem como injusta. Como os povoadores europeus não se dispunham a fazer trabalho manual, a dominação escravista terminou por constituir a forma básica, primordial, da estrutura social do país. Mesmo os jesuítas, os maiores defensores dos índios, podiam pedir escravos negros para seu serviço. Em uma carta de 1549 ao rei, na qual acusava os "cristãos" de injustiças contra os índios, o padre Nóbrega pedia alguns escravos africanos para os trabalhos braçais do colégio dos jesuítas.[48]

Segundo Pero de Magalhães Gandavo, mesmo os povoadores pobres precisavam de escravos. Embora poucos, dizia Gandavo, isso lhes permitiria viver como senhores. Quanto aos povoadores de mais recursos, também precisavam de escravos, porque mesmo os que tinham fazendas almejavam também participar da descoberta das minas de metais preciosos. Nos primeiros tempos da colônia, muitos acreditavam existir esmeraldas, ouro e prata nas proximidades do sertão da Bahia.[49] E os metais preciosos seriam inacessíveis sem o concurso de alguma forma de participação subordinada dos índios. Ou, em alguns casos, dos negros. Na maioria dos casos eram índios "flecheiros", espécie de soldados primitivos a serviço dos chefes das levas dos quais eram dependentes, ou mesmo escravos.

De um modo ou de outro, nos primeiros séculos, as investidas para o interior estavam nos horizontes de todos, embora a agricultura começasse a tomar vulto em algumas partes. Mesmo Duarte Coelho, de Pernambuco, titular da capitania mais exitosa dos primeiros tempos, chegou a sonhar com a descoberta de esmeraldas, conforme escreveu a dom João III, em 1542.[50]

Invisibilidade dos negros

Dom João III (1502-1557), por causas financeiras, tinha que alimentar a busca das minas como um sonho de todos. O extrativismo que vinha dos inícios com as retiradas de pau-brasil alcançava uma nova etapa. O empobrecimento da Coroa estava à vista de todos. Depois de dom Manuel, o Venturoso (1469-1521), um dos reis mais ricos da Europa, João III era considerado um dos mais pobres. Dizia o núncio em Lisboa que, além de pobre e endividado, dom João era "mal visto do povo e muito mais ainda da nobreza".[51]

Mas a alegada pobreza do reino de João III não diminuía os encargos assumidos com a Igreja por seus antecessores. Vigorava, tanto em Portugal como na Espanha, o regime do padroado, pelo qual o papa delegara às coroas daqueles países a organização e administração da Igreja nos territórios conquistados. Desde o século XIII, os monarcas ibéricos assumiram diante do Papado a proteção das missões de evangelização das "terras novas" da península. Mais adiante assumiram os compromissos criados pela Contrarreforma e pela peculiar consciência moral nascida da longa história de confrontos dos diferentes povos da Reconquista.

Nessas circunstâncias, diferentemente da escravização dos índios, a escravidão dos negros, anterior de há muito aos descobrimentos, tornou-se, de certo modo, invisível. Diferentemente dos índios, a questão da humanidade do escravo negro permaneceu em uma espécie de limbo, zona morta da consciência moral da época, esquecida ou entendida como natural. Talvez aí se encontrem as raízes desse relativismo moral em relação à escravidão dos negros que teve vigência durante séculos na história brasileira. Abolida em Portugal por Pombal no século XVIII, a escravidão dos negros continuou na colônia brasileira. E persistiu mesmo após a Independência (1822) e ainda depois do fim do tráfico de escravos (1850). Difícil dizer em que época de nossa história esse relativismo moral se tornou inaceitável para a sociedade, em primeiro lugar para a monarquia do século XIX, a seguir para uma parte das elites. O fato, porém, é que a abolição da escravatura só foi proclamada no país em 1888, um ano antes da República. O que significa que essa parte fundamental da mentalidade colonial se manteve durante quase todo o primeiro século do país independente e se prolongou no racismo que conhecemos, em formas mitigadas, às vezes apenas disfarçadas, do Brasil contemporâneo.

Nas origens da sociedade brasileira, mais grave do que a derrota dos missionários em impedir a escravização dos índios foi a despreocupação, talvez a indiferença, dos papas em relação à escravidão dos negros, que começaram a vir da África nos primeiros séculos e continuaram a ser importados durante todo o período colonial. Não há dúvida de que os missionários, em especial os jesuítas, lutaram para diminuir o sofrimento dos índios e fizeram o mesmo em relação aos "excessos" cometidos por senhores e capatazes contra os negros. Mas em que pese seu empenho na defesa de índios e negros, não foram capazes de denunciar o fato fundamental da absoluta ilegitimidade da escravidão.

Com as limitações e peculiaridades da época, essa relativa consciência moral lusa se expressou ao longo de quase toda a formação do Brasil. Mesmo com ressalvas por parte dos críticos mais radicais das injustiças cometidas contra os índios, como Las Casas e Vieira, a escravidão foi aceita por séculos como legítima. No século XVI, só ao final de uma longa vida dedicada à defesa dos índios, Las Casas se manifestou contra a escravidão dos negros. Por seu lado, Vieira, um século depois, também quase ao final de uma grande trajetória de combates em defesa dos índios, entendeu que não poderia ser favorável à liberdade para os negros rebeldes dos Palmares. Nesses anos finais da vida de Vieira, o grande quilombo estava arrinconado já havia quase setenta anos no sertão da então capitania de Pernambuco, na serra da Barriga, um pedaço de terra que pertence hoje a Alagoas. Convidado a se manifestar a respeito de Palmares, Vieira disse que os negros ali viviam "em pecado contínuo e atual" porque estavam em rebelião. Se lhes fosse concedida liberdade para viver a seu modo na mata, como então os índios em suas aldeias, seu exemplo tornaria inviável à colonização do Brasil: "Cada cidade, cada vila, cada lugar, cada engenho seriam outros tantos palmares, fugindo e passando-se aos matos com todo o seu cabedal, que não é outro senão o próprio corpo."[52]

Para Vieira, como para os colonizadores em geral, não poderia haver uma colônia sem escravos. Aliás, essa visão, como se sabe, não se limitava apenas ao Brasil e aos países hispânicos. Era esse o pensamento dominante nas elites europeias desde antes dos descobrimentos, inclusive entre os humanistas. A propósito, vale lembrar que na *Utopia* (1516), de Thomas Morus, também havia lugar para escravos. Desse modo, se na América lusa, antes de Pombal, admitia-se, mesmo para os índios, uma escravidão "lícita", na América espanhola criou-se um sistema de *encomiendas*, no qual os índios, embora considerados formalmente livres, viviam em um regime muito parecido com a escravidão.

Esse relativismo da consciência moral da época se acha expresso na célebre frase mencionada pelo humanista holandês Gaspar Barléu (1584-1648): *"Ultra equinoxialem non peccavi"* — Não existe pecado abaixo do equador.[53] Às vezes mal-entendida como elogio da licenciosidade tropical, essa frase tem também seu lado de uma crítica da permissividade colonialista dos europeus em geral. Em que pese a ambiguidade, reconhece uma verdade: os europeus se permitiram nas colônias sistemas de dominação que se haviam tornado inaceitáveis nos países de origem.

"Crimen fueron del tiempo..."

Na passagem do século XVIII ao XIX, o poeta espanhol Manuel José Quintana (1772-1857), mordido pelo sentimento de uma culpa histórica dos conquistadores, disse em um grande poema: *"Su atroz codicia, su inclemente saña/Crimen fueron del tiempo, y no de España."*[54] Na historiografia brasileira, a mesma inquietação transparece em muitos autores.

A propósito da conquista luso-brasileira, Capistrano de Abreu indagou-se se valeu a pena tanto sofrimento e horror.[55] Não foi o único a fazer tal pergunta, aliás, clássica nos estudos históricos sobre as conquistas em geral. Diz um estudo biográfico sobre César, que a Gália foi mergulhada no circuito da "civilização romana" por meio da violência e do genocídio. Mas, por outro lado, a conquista da Gália por César pode ser considerada o evento crucial da formação da Europa medieval e depois moderna. É semelhante à conquista do Novo Mundo, fruto da ação convergente dos conquistadores e dos missionários, e também de elevado custo humano. Assim, é possível a pergunta: que história teríamos na América do Sul sem Pizarro? Tão possível quanto esta outra: que Europa teríamos sem Júlio César?[56]

Basílio de Magalhães, que, aliás, menciona o espanhol Manuel José Quintana, teve pela frente o mesmo problema em seu amplo levantamento sobre os bandeirantes. Mas, em sua opinião, eles "nada mais fizeram do que imitar os europeus de cultura tradicional, como os portugueses, espanhóis e ingleses, que não só cometiam, naquele tempo, o hediondo crime de cativamento dos africanos, a caçada aos silvícolas, mas também aqui na América consideraram *alieni juris* os seus míseros autóctones". Referindo-se especificamente à escravização dos índios, Basílio acrescentou que nos primeiros tempos da colônia havia a necessidade do trabalho nas terras litorâneas "e para isso não bastavam os poucos negros tão dificilmente importados da costa da África".[57]

De um modo ou de outro, prevaleceu, na história do Brasil (e da América), a lógica implacável dos conquistadores, embora no contexto europeu da época já não houvesse como justificar a escravidão. Era a escravidão em geral — tanto a dos índios como a dos negros — que se achava em questão na evolução histórica europeia daquele tempo. Não havia, deste modo, como justificar a escravidão dos índios pela dificuldade prática de importar negros da África. Mas prevaleceu a dura lógica da cobiça de riqueza e de poder daqueles tempos. Era a mesma lógica que estava por trás do pensamento de Vieira ao condenar Palmares. Sem escravos, não há colônia.

Mas há algo de mais profundo, e mais terrível, nesse tema da escravidão. Se é verdade que a cobiça e a fúria dos espanhóis e portugueses foram um *"crimen del tiempo"*, cometido por europeus e por conquistadores em geral, também é verdade que foi um crime cometido por outros, de qualquer continente ou povo de que se fale. Na África, esse crime foi cometido pelos árabes e pelos chefes e chefetes negros, os chamados sobas, que vendiam seus escravos como mercadorias.[58] Além disso, na América, havia escravidão entre os índios, antes dos contatos com os portugueses. E o mesmo crime continuou a ser cometido depois, e de modo independente desses contatos. O que é ainda pior é que ambas as escravidões originárias, de índios e de negros, se agravaram depois dos descobrimentos europeus que fizeram crescer o mercado de escravos.

Barbárie das origens

O caráter geral da escravidão na época dos descobrimentos e da conquista ressalta o aspecto bárbaro das origens das Américas, mas não absolve ninguém. Sobretudo, não absolve os europeus que, em geral, eram cristãos e cujos comportamentos não poderiam ser moralmente aferidos pelos parâmetros das tradições pagãs. Ressaltar o caráter geral da escravidão vale, porém, para se reconhecer que a época dos descobrimentos foi também um tempo de barbárie, semelhante às origens da Idade Média europeia no século VIII. As Américas repetem a Europa, tanto porque incorporaram traços civilizacionais europeus quanto porque adaptaram suas semelhanças bárbaras de origem às peculiares circunstâncias do continente onde tiveram que atuar.

Embora se trate de um passado grandioso na criação de nações, a brutalidade da conquista tem de ser encarada sem disfarces. Até porque as circunstâncias que conduziram à grandeza não se separam das que conduziram às ignomínias. O grande problema é que, se as tradições e a história não valem como álibi para os conquistadores, também não valem como álibi para seus herdeiros nos tempos atuais. Assim como os conquistadores do século XVI receberam sobre os ombros o peso do seu tempo e das suas tradições, seus herdeiros do mundo moderno receberam deles o peso das violências e das ignomínias dos tempos da conquista.

Na história do Brasil, em particular, esse é o tempo da conquista do território, da descoberta da humanidade dos índios, da escravidão de índios e negros e, finalmente, das origens da própria nação. É muito conhecida a frase de frei Vicente do Salvador que, em fins do século XVII, dizia que os portugueses, incapazes de povoar as terras que conquistavam, se contentavam em andar "ao longo do mar, como caranguejos".[59] Embora em fins do século XVII, isso não era bem verdade, até porque desde os inícios do século XVI os lusos já faziam suas primeiras investidas para o sertão, é verdadeira a reflexão de Capistrano, provavelmente inspirada em frei Vicente, sobre os limitados alcances dos primeiros tempos da colônia. No século XVI, afirmou Capistrano, o Brasil se limitava a "trechos exíguos de Itamaracá, Pernambuco, Bahia, Santo Amaro e São Vicente".

Depois de Capistrano, Affonso de Taunay, referindo-se ao século XVII, foi um pouco mais amplo ao mencionar os pontos aonde chegara a colonização. "Enceta-se com o século XVII a era do bandeirismo paulista num Brasil que então ia de Cananeia a Natal, com a mais escassa densidade demográfica. Era simplesmente pasmoso que se houvessem firmado os núcleos de povoamento português a que balizavam São Vicente e Santos, Rio de Janeiro e Vitória, Salvador, Olinda e

Paraíba."[60] Continuavam sendo "trechos exíguos", pequenos pedaços dos estados que viriam a existir naquelas regiões.

Em todo caso, é certo que tanto a referência de Capistrano quanto a de Taunay estão nas origens de uma revisão moderna das perspectivas da historiografia brasileira sobre a colônia. Capistrano sugeriu, e Taunay o acompanhou, na orientação de que os historiadores deveriam deixar de lado a história desses "trechos exíguos" da costa em favor de uma história da conquista do sertão, do interior.[61]

Trata-se, evidentemente, da mesma conquista do sertão que afligia Capistrano quanto ao aspecto moral. É que ele percebeu que a história da conquista do interior está diretamente associada à expansão do território e à humanidade dos índios. E é, pois, essencial para se compreender as origens da sociedade, da escravidão, da nação e do Estado. Ele considerou que a grande tarefa da historiografia seria a de mostrar aos brasileiros como os povoadores e os sertanistas avançaram as fronteiras do país para o interior. Ou seja, seria a de mostrar como avançaram as fronteiras para além dos limites definidos pelo meridiano das Tordesilhas (1494), assim estabelecendo as condições, verificadas dois séculos depois, para o Tratado de Madri (1750), que definiu os limites atuais do Brasil.

Capistrano cometeu, às vezes, alguns exageros. Mas, mesmo em seus eventuais exageros, seus escritos valem ainda hoje pela intenção inovadora e pioneira. Ele queria que "os nossos netos" pudessem perceber que "a ruptura da grande curva do São Francisco, a passagem dos Cariris e da Borborema, a entrada no Parnaíba, o caminho terrestre do Maranhão à Bahia" eram fenômenos mais importantes na história do Brasil do que as guerras flamengas ou castelhanas. Na verdade, as guerras flamengas ou castelhanas estão, como as do interior, na mesma história da conquista. Mas não se deve perder o essencial da sua sugestão: ele lamentava que "as bandeiras, as minas, as estradas, a criação de gado pode dizer-se que ainda são desconhecidas, como, aliás, quase todo o século XVII". Com igual razão, estimulava o conhecimento das conquistas da região das atuais Minas Gerais, do Paraná, do Rio de Grande do Sul, de Goiás e do Amazonas. Nesse espírito, a influência de Capistrano se multiplicou em muitos estudos empíricos, entre os quais os de Taunay, Basílio de Magalhães, Jaime Cortesão, Alfredo Ellis Jr., entre tantos outros. Merecem igualmente atenção muitos ensaios notáveis, alguns deles sob a mesma perspectiva, como *Paulística*, de Paulo Prado, *Bandeiras baianas*, de Pedro Calmon, e *Marcha para oeste*, de Cassiano Ricardo.

Mas entendamo-nos bem: seria um mero anacronismo atribuir aos sertanistas dos séculos XVI e XVII uma consciência nacional que não tinham. Nem é isso o que pretendiam Capistrano de Abreu e os historiadores das entradas e das bandeiras. Eles sabiam que nos bandeirantes, como nos sertanistas em geral, foi sempre muito clara a noção de sua subordinação à Coroa. Sabiam ainda que esses sertanistas tinham uma claríssima visão de seus interesses pessoais de propriedade e poder. Quanto à Coroa, está claro que nunca foi desatenta quando se tratava da busca de metais preciosos e dos seus supostos direitos sobre o território herdados das bulas papais. Não obstante a ausência de uma consciência nacional, foi do conjunto das empreitadas inspiradas nos interesses dos sertanistas e da Coroa que surgiram os primeiros núcleos do que conhecemos hoje como o território nacional.

No mesmo movimento surgiram também as primeiras formas da estrutura social colonial.

Os bandeirantes e os sertanistas estavam menos preocupados em construir uma nova sociedade do que em enriquecer, descobrindo ouro e escravizando índios. Os padres, por sua vez, estavam mais preocupados com a humanidade dos índios e com a salvação de suas almas. Dos jesuítas, a propósito, dizia Pombal que não eram nem portugueses nem espanhóis, mas apenas soldados da Companhia, uma instituição internacional. Quanto aos sertanistas, seu horizonte político não ia além da defesa do território que os papas doaram aos monarcas da Ibéria. O que significa que nas mentalidades de sertanistas e missionários daquele tempo fazia falta a conotação moderna, ou seja, nacional, que encontramos subjacente às indagações dos historiadores das bandeiras. E que justificam uma revisita aos seus escritos em perspectiva contemporânea.

Como ocorre com frequência na história, as ações dos homens engendram consequências que vão além das intenções dos protagonistas. Os "trechos exíguos" a que se referiu Capistrano foram, de fato, apenas a primeira fronteira, a partir da qual se construiu o que conhecemos hoje como o Brasil. Sabemos hoje, o território é premissa necessária da nação e do Estado. E por isso podemos perguntar: que seria a nação sem a expansão territorial daquela época?

Fronteira, conquista e nação

Nos anos em que Capistrano, no Brasil, propunha uma "história sertaneja", Frederick Turner propunha, nos Estados Unidos, uma história da conquista do oeste. Essa ideia deslocou o eixo da historiografia dos Estados Unidos e acabou influenciando a historiografia de outras terras. Em seu célebre ensaio *The Frontier in the American History*, ele afirma: "O verdadeiro ponto de vista da história desta nação não é a costa atlântica, mas o grande oeste." Estaria no oeste, nesse "ponto de encontro entre a barbárie e a civilização", o início da nação americana. É claro que Turner falava da expansão americana do século XIX — a conquista do oeste americano que se realizou entre 1850 e 1880. Capistrano e seus seguidores mencionavam o Brasil de alguns séculos antes, o XVI e o XVII. É uma distância muito grande no tempo. Mas seriam fenômenos muito diferentes?[62]

Para Turner, a sociedade americana teria sua gênese no homem que avançava sobre território desconhecido que lhe impunha inovações e adaptações. Em face das intempéries do novo meio, fraquejavam as raízes europeias do conquistador e se esboçava um novo perfil do país. "Essa expansão para oeste, com suas novas oportunidades, seu contato permanente com a simplicidade da sociedade primitiva, propicia as forças dominantes do caráter americano." Em que pese diferenças de tempo e de contexto entre o Brasil colônia e os Estados Unidos já independentes, o fenômeno sociológico da fronteira é o mesmo. Como é o mesmo sociologicamente a "campanha do deserto" na Argentina, que também no século XIX conquistou o domínio territorial do pampa e da Patagônia oriental.

A fronteira em sentido sociológico não se define como uma linha entre estados ou regiões em um mapa de geografia política. Pode coincidir com a fronteira política, mas não necessariamente. Para Turner, o conceito denota áreas de contato entre a cultura europeia e territórios ainda não ocupados ou apenas precariamente ocupados. Por isso, embora nascida do século XIX, essa concepção encontrou sua mais ampla significação histórica na expansão europeia de após os grandes descobrimentos. É certo que a fronteira em seu sentido mais amplo pode ser encontrada no estudo do encontro de culturas diferentes, não apenas as dos tempos modernos, também as de épocas pretéritas, muito anteriores aos descobrimentos. Mas, no sentido moderno, esse "ponto de encontro entre a barbárie e a civilização" é um fenômeno do mundo europeu em expansão. Tipicamente, é um fenômeno da chegada e do avanço dos europeus sobre o Novo Mundo.

É por isso natural a convergência de pontos de vista entre Turner e Capistrano, não obstante as diferenças de tempo e contexto entre os processos de formação das sociedades no Brasil e nos Estados Unidos. O ponto de convergência é o seguinte: se os Estados Unidos tornaram-se americanos em sua marcha para o oeste, o Brasil tornou-se brasileiro nas sucessivas avançadas para o interior. E, no Brasil, essas investidas para o interior se deram em várias direções: para o norte, para o sul e, sobretudo, também para o oeste. Nem sempre, portanto, a fronteira avança em uma única direção. Algo de semelhante se poderia dizer de países sul-americanos, como o Peru e a Colômbia, nascidos no Pacífico, cuja história avançou no sentido do norte, do leste e do sul.

A primeira fronteira brasileira se limitou no século XVI a "trechos exíguos" do sudeste e do nordeste. Mas já a partir da segunda metade daquele século abria-se uma segunda fronteira, também no sudeste, a partir da criação de São Paulo e Santo André, no planalto de Piratininga, e do Rio de Janeiro, na baía de Guanabara. Logo a seguir, na passagem para o século XVII e no contexto da União Ibérica (1580-

1640), desenvolveram-se as investidas na direção sul, em terras de Santa Catarina e Rio Grande do Sul. Nas primeiras décadas do século XVII ocorreram os grandes conflitos com os jesuítas espanhóis, dos quais os mais notáveis foram os do Guaíra, no atual estado do Paraná. Nos fins do século XVII, ainda no sudeste, deu-se a descoberta do ouro na região do atual estado de Minas Gerais. A fronteira avançou a seguir, de novo na direção oeste, para as atuais regiões pertencentes a Goiás e Mato Grosso.

Ainda no século XVII, a fronteira cresceu no nordeste, conquistando primeiro o Sergipe e o Rio Grande do Norte e logo a seguir o Ceará e o Maranhão. A fundação de Belém, hoje capital do estado do Pará, também no século XVII, foi a cabeça de ponte para a conquista do Amazonas. Essas investidas ao norte ocorreram quase ao mesmo tempo em que encerravam as do sul, quando findaram as tentativas de controle de Colônia do Sacramento, na atual República do Uruguai.

O sentido histórico mais abrangente que se atribuiu à noção de fronteira é a de um fator determinante da moderna civilização ocidental. Conduzida a seu limite lógico, essa ideia permitiria concluir que as sociedades modernas são em geral sociedades de fronteira, nascidas do influxo de centros mais modernos. No caso do Brasil, e talvez de outros países ibero-americanos, a fronteira sociológica criou as bases das fronteiras políticas, firmadas nos séculos XVIII e XIX. Foram instrumentos disso o Tratado de Madri, seguido do de Santo Ildefonso, ambos apoiados no argumento diplomático do *uti possidetis*, que garantiu o direito de posse do território para aquele que dele faz uso. Essa foi a premissa jurídico-política que se apoiou na audácia dos bandeirantes de várias partes do Brasil. Como disse João Ribeiro: "O jesuíta, o criador e o paulista bandeirante são os fatores da grandeza territorial. Os jesuítas congregam e aldeiam os índios nas margens dos grandes rios do Amazonas e Paraná; os criadores desvendam o sertão do norte; e os paulistas todo o centro e o oeste até Goyás e Mato Grosso."[63] Veremos isso com algum detalhe mais adiante.

Em todo caso, deve ficar desde logo afirmada a ideia central. O Brasil nasceu da cobiça dos bandeirantes e sertanistas, emoldurada em mentalidades dominadas por mitos só compreensíveis nas circunstâncias da época. Descobrir minas, caçar e aprisionar índios, combater, em nome do rei, corsários europeus de outros países — tudo isso se conjugava com o reconhecimento de novos territórios para o monarca. Foi assim também que se construíram os primeiros fundamentos de uma nova sociedade apoiada na dominação das populações indígenas. Uma sociedade que nasceu também da consciência, criada pelos missionários, da injustiça que se cometia contra os índios.

CAPÍTULO IV Ibéria, América

Se a história do Brasil e dos países ibero-americanos começou no confronto com a barbárie, também a história da Ibéria — e da própria Europa — teve a necessidade dos seus bárbaros para definir-se. Bárbaros? Chame-se como se queira. Como se sabe, as próprias noções de bárbaro e de barbárie vêm de histórias muito anteriores, da Antiguidade Clássica. Na história da Europa, em alguns casos, essas gentes bárbaras vinham do norte. Na Ibéria, quase na mesma época, vinham do sul, como nas invasões dos mouros. Na América dos descobrimentos esses bárbaros eram os índios e os negros de origem africana que aqui já chegaram como escravos. Em tempos mais recentes, mencionam-se os oprimidos e as massas de marginalizados sociais. Em todo caso, os bárbaros sempre foram os "de fora", desde sempre vistos, a exemplo da Antiguidade, como ameaças aos muros da cidade. Em suas linhas mais gerais, o mesmo fenômeno ainda ocorre em muitas periferias, urbanas ou rurais, das nossas sociedades.

As origens das nações permitem cogitar sobre seus fundamentos de horror e violência tanto quanto reconhecer sua capacidade de superação. A Europa foi, como já se disse, uma criação da "nascente Idade Média". Surgiu da mistura dos latinos e germânicos que participaram das migrações bárbaras na longa decadência do Império Romano. Nas ainda existentes florestas europeias, segundo Georges Duby, duas "inculturas" se confrontaram nos séculos VI e VII. De um lado, a "incultura" bárbara germânica; de outro, a que germinava nas sobrevivências romanas em processo de degradação. Esses povos que participaram da formação da Europa foram os mesmos que participaram das cruzadas e das conquistas coloniais modernas. Como assinalaram diversos autores, há uma substancial continuidade entre as origens da Europa e as da América.[64] Uma continuidade que se reserva muitas diferenças.

Se, como disse Braudel, o feudalismo construiu a Europa de além-Pirineus, a conquista dos séculos XVI e XVII construiu o Brasil e os demais países da América Ibérica.[65] A América Ibérica surgiu de um medievalismo, talvez já em decadência a partir do século XVI, mas que ainda trazia muito dos entusiasmos da Reconquista. Um medievalismo que assistia à fase final e vitoriosa da Reconquista e ainda com força bastante para misturar no Novo Mundo as tradições e o espírito renascentista com os usos impostos pelas asperezas e dificuldades de um desconhecido território americano e, sobretudo, pela luta e pela convivência com a população nativa.

A Reconquista, "um caso único na história dos povos europeus", começou na batalha de Covadonga, no século VIII, ao norte da península, com a rebelião de Pelagio, em resposta às invasões muçulmanas iniciadas em 711. Nas regiões do norte, onde os mouros não puderam dominar, o pequeno reino de Oviedo se ligava a povos rurais e pastoris que se espalhavam pela Galícia, pelas Astúrias, pela Cantabria e Vasconia. Algum tempo depois de Covadonga, os francos, sob a chefia de Carlos Martel, venceram os árabes em Toulouse e Poitiers, estabelecendo-se assim um ponto de resistência aos mouros que daria início à definição do mapa da futura Europa.

No mesmo século, outro grande acontecimento viria a ser decisivo para definir uma fronteira entre as Europas de aquém e de além-Pirineus: os bascos derrotaram as tropas de Carlos Magno em sua tentativa de invadir a Ibéria. Daí em diante, os ibéricos ficaram aquém-Pirineus e iniciaram uma guerra que duraria até o século XV, em prol da expulsão dos mouros. Além-Pirineus ficariam os francos e outros povos germânicos e latinos remanescentes na área. Já no século VIII, pela primeira vez um sacerdote espanhol designou essas gentes como "europeenses".[66] Foi assim que, com o correr do tempo, a Ibéria se tornou a principal fronteira entre a cristandade e o mundo islâmico.

Henri Pirenne observou que sem Maomé não haveria Carlos Magno. Ou seja, sem a expansão islâmica que dominou o Mediterrâneo o mundo europeu não se fecharia sobre si próprio, dando origem à Idade Média da qual nasceu a Europa. No mesmo sentido, pode-se dizer que sem a invasão islâmica que deu origem à guerra da Reconquista não haveria a Espanha e o Portugal.[67] Da Reconquista surgiu uma nova identidade cultural da Ibéria, complexa mistura de povos e culturas cristãs, mouras e judias, relegando-se ao passado a Hispania romana. Uma nova identidade ibérica se sobrepôs às divisões criadas pelo andamento da guerra que fracionou a península em reinos, principados e condados. Surgiram então os reinos de Leão e Navarra, tendo esses se dividido em Navarra, Castela e Aragão. Tempos depois, surgiu Portugal como dissidência de Leão. Dizem historiadores que o ato fundador de Portugal foi a criação do reino. Em outras palavras, Portugal nasceu do protagonismo da casa real na gesta da Reconquista. Espanha e Portugal já então haviam se tornado portadores de uma cultura comum, muito diferente dos países além-Pirineus.[68]

Lenta nos primeiros séculos da invasão moura, a Reconquista ganhou intensidade desde o século XI, quando se iniciaram as cruzadas, até meados do século XIII. Coimbra foi conquistada em 1065, Toledo em 1085, Lisboa em 1147, Córdoba em 1236, Valência em 1238, Sevilha em 1248. Para a maior parte da Ibéria, a guerra terminou na vitória de Salado, em 1340. Depois de Salado, quando se supunha que os cristãos houvessem retomado as posições mais importantes, a guerra de fronteiras se espalhou por toda a península. Do século XIV em diante só a região de Granada restou de relevante em mãos dos mouros. Foi reconquistada em 1492, no reinado de Isabel, a Católica. No mesmo ano, Isabel autorizou Colombo a buscar o caminho das Índias pelo rumo do oeste. Portugal já havia saído ao mar, nas ilhas do Atlântico, e iniciado o périplo da África. Começava a época moderna.

Fundamental para o reconhecimento da Ibéria em face da Europa, a história da Reconquista constituiu aspectos essenciais do estilo cultural predominante na América Ibérica. A guerra, prolongada e intermitente, de muitos avanços e retrocessos, criou também espaços e oportunidades de convivência. Américo Castro assinala que, quando as tréguas se impunham, as gentes da península podiam perceber que nenhuma delas se bastava a si própria, nem ao norte, onde os cristãos desde o início mantiveram seu domínio, nem ao sul, onde os mouros mantiveram controle durante séculos. A Espanha anterior aos descobrimentos foi em diferentes momentos a terra dos cristãos, a Al-Andalus dos mouros, e a Sefarad dos judeus, que aí viviam em grande número desde os tempos visigodos. Embora com grandes diferenças, essas três tradições culturais e religiosas se compenetraram de muitas maneiras. O que se diz da Espanha vale também, nesse caso, para Portugal.

Em toda a Ibéria, os "povos do livro", os povos da verdade revelada, dependiam uns dos outros nos tempos em que, cansados de guerra, tinham de ceder às exigências cotidianas da existência. Cristãos, mouros e judeus se opunham entre si, mas aprendiam também uns com os outros. Quanto aos cristãos, a mais funesta das retomadas das suas ilusões de autossuficiência lhes veio no período dos descobrimentos, quando Espanha e Portugal se tornaram notáveis pela intolerância. "*Sin musulmanes y judíos* — diz Américo Castro —, *el Imperio Cristiano de los españoles no hubiera sido posible* ." O espanhol surge ao fim da Reconquista já "islamizado" e "judeizado". Ao fim da Reconquista, ou seja, no período dos descobrimentos, dedicando-se a perseguir judeus e mouros, os cristãos levaram a civilização hispânica a dividir-se contra si própria. Nos momentos de sua maior glória os "países católicos" começavam a decadência de após a segunda metade do século XVI.[69]

Segundo Américo Castro, a própria conquista foi algo que os cristãos tiveram de aprender com os mouros. "*El conquistar para cristianizar estuvo precedido del conquistar para islamizar.*"[70] O nome de Santiago, o Apóstolo, cujos restos se achavam em Compostela, era invocado aos gritos pelos cristãos nas batalhas. Por isso era chamado Santiago, o Matamoros. Nessas batalhas, os cristãos se opunham aos gritos que vinham do outro lado, dos guerreiros mouros em favor de Alá e Maomé. Para Américo Castro, essa imagem de uma "guerra divinal", que invocava Deus e o apóstolo para matar os adversários, não existia na Ibéria antes da invasão muçulmana. De origem moura, a "guerra divinal" foi adotada também pelos cristãos. E deveria deixar marcas na história (e na cultura) da América dos espanhóis e portugueses.

Personalismo e misticismo

Sánchez-Albornoz, por seu turno, acentua a luz dos conflitos. Para ele, os povos de Castela, assim como os das Astúrias e da Galícia, foram por séculos povos "de alma fronteiriça". Em seus avanços para o sul, eles sonhavam com o assalto às terras dos infiéis. Muitos cristãos, sobretudo em Leão, Castela e Portugal, enriqueceram com as terras, casas e o gado que tomaram aos islamitas em suas frequentes *razzias* ao país inimigo. Aliciavam comparsas para tais investidas imitando os feitos e as palavras de Cid, *El Campeador.* "*Quien quiera quitarse de trabajos y ser rico, que venga conmigo a ganar y a poblar... León o Burgos, Zamora o Osma, Ávila o Segovia, Toledo o Cuenca, Córdoba o Sevilla...*" E, como se sabe, o próprio *Campeador* foi tipicamente um "aventureiro de fronteira", ávido por façanhas cavaleirescas e butins. Diz o historiador francês Jacques Le Goff que o verdadeiro Cid, de nome Rodrigo Diaz de Vivar (1043-1099), foi "um cavaleiro da média nobreza que empregava seus talentos de guerreiro e de senhor a serviço ou dos reis de Castela ou dos emires muçulmanos".[71] Em todo caso, diz Sánchez-Albornoz que, em Castela dos séculos XIII e XIV, o patrício urbano era recrutado com apelos à cobiça de riquezas e ao crescimento do poder. Diferentemente do cavaleiro elegante das histórias medievais da França e da Inglaterra, o patrício espanhol daqueles séculos era um cavaleiro rústico, "coberto da poeira das estradas, armado às pressas".[72] Seria muito diferente dos aventureiros portugueses e espanhóis que vieram tempos depois à conquista da América?

A marca cultural da Reconquista da Ibéria foi também a da conquista da América. Além de uma visão "divinal" da guerra, os conquistadores da península legaram aos seus descendentes no Novo Mundo um personalismo de fundo senhorial. Hernán Cortéz convocava seus seguidores à maneira do Cid. Mandava "que se divulgassem seus pregões e que tocassem seus tambores (...) para que a qualquer pessoa que quisesse acompanhá-lo às terras recém-descobertas, para conquistá-las e povoá-las, dissessem que lhes daria suas partes em ouro, prata e joias, tantas quanto houvesse". Era o mesmo estilo que veio a ser seguido por Francisco Pizarro, que, quando desejava estimular seus homens a fazer a travessia do Atlântico, os convidava para uma escolha entre serem pobres em Castela ou ricos no Peru.[73]

Qual a raiz do personalismo ibérico? Para os cristãos que nos inícios da invasão muçulmana se viram desapropriados e dominados pelos mouros, a Reconquista significou, essencialmente, a retomada de suas terras e da sua liberdade. Por isso conjugaram a fé em Cristo com a guerra e a conquista do poder. Combatiam por Deus, pelo rei e pelo bem comum, buscando repovoar as terras que retomavam aos mouros para melhorar as suas condições de vida. Eles acreditavam que sua crença na "consciência da dimensão imperativa da pessoa (lhes) permitira ascender da gleba ao poderio".[74] Para eles, o fundamento da verdade estava em Deus e na pessoa do homem.

Marcando nítidas diferenças com a cultura dos países que se formavam além-Pirineus, os hispânicos valorizavam as pessoas, dando menor importância "à verdade das coisas, fundada em uma lógica impessoal".[75] Não é difícil reconhecer nessa valorização da pessoa a gênese do "homem cordial" dos escritos de Sérgio Buarque de Holanda sobre as origens do Brasil.[76] Encontra-se aí a raiz fundamental da subvalorização das normas e das leis, típica da cultura brasileira e hispano-americana em geral. Daí também que os jesuítas, discípulos do espanhol Inácio de Loyola, tenham inventado o casuísmo, que, como as subculturas do "jeitinho brasileiro" (ou do *arreglo* argentino), do golpismo, do caudilhismo (e dos *pronunciamientos*), é tão frequente até os dias atuais na política ibero-americana. Baseado não em princípios gerais, mas em interesses e circunstâncias particulares, o casuísmo foi visto pelo francês Blaise Pascal, católico jansenista e antijesuíta, como um sinal de imoralidade.[77]

Ao longo da história, essa consciência da fé na própria gente adquiriu, em sentido amplo, um signo espanhol (ou hispânico, incluindo o português). A valorização da pessoa permitiu desenvolver nos cristãos ibéricos, tanto nos senhores quanto nos labregos, a consciência de uma hombridade que se transmitiu também aos mouros e aos judeus da península. É que além da influência dos cristãos havia na valorização da pessoa a ação das afinidades entre os "povos do livro". Qualquer que fosse sua origem, a gente ibérica se considerava capaz de adquirir senhorio, mando, nobreza e liberdade graças a seu impulso e sua coragem. Por influência de uns sobre os outros, essas gentes peninsulares de diferentes credos religiosos terminaram por identificar-se como povos eleitos.[78]

É uma invenção ibérica não apenas a palavra *caudillo*, mas também o tipo social a que se refere. Os mouros sobreviveram aos ataques dos cristãos enquanto estiveram sob a liderança de fortes personalidades. Mas, embora tenham dominado em regiões da península por muito tempo, não foram capazes de criar sistemas políticos firmes. Dependiam sempre de fortes caudilhos. Na queda, quando derrotados nas guerras, faziam o trabalho da terra, como escravos ou servos dos cristãos. Mas até o século XIII cultivaram as artes e a ciência, das quais participaram também, e especialmente, os judeus, mais próximos aos poderosos que deles necessitavam para a administração e as finanças. É evidente que se trata aqui do que em cada época se considerava normal e permitido a cada um desses povos.

A cultura hispânica, além de grandes nomes da cultura árabe, como Averroes, que se dedicou a traduzir e a difundir Aristóteles, herdou também a influência do judeu Moises Maimonides (1135-1204). É bastante conhecida a relevância do renascimento e do humanismo árabe no século XII, com grande influência no que será a futura renovação da cultura europeia. Na Itália do fim do século XIV, diz Braudel, o bárbaro é o montanhês dos cantões suíços, o alemão ao norte do Brenner ou o francês, o espanhol, o turco, assim como para o Islã de Avicenas ou de Averroes é o turco, o berbere, o saariano ou o crusado do Ocidente.[79] Na Espanha a aproximação (e o choque) entre mouros e cristãos foi certamente maior do que em outros países europeus. Américo Castro afirma que nos séculos XV e XVI alguns personagens e fenômenos da alta cultura espanhola eram caracteristicamente judeu-espanhóis. Entre os mais notáveis desses personagens estariam o espanhol Juan Luís Vives, o matemático português Pedro Nunes, o médico Andrés Laguna, o bacharel judeu Fernando de Rojas (autor de *La Celestina*) e o frei Francisco de Vitoria.[80]

Mas, apesar do esplendor da cultura filosófica, afirma Américo Castro que muçulmanos e judeu-espanhóis não criaram doutrinas inteiramente originais. A teoria encontrou escassa atenção entre os árabes, embora tenham sido eles os herdeiros de alguns conhecimentos essenciais ao pensamento moderno, como o número zero, a numeração decimal, a álgebra, e tenham tido conhecimentos de medicina. Desse modo, por influência muçulmana, o saber do espanhol e do português manteve sempre mais contato com problemas práticos: guerra, navegação, arquitetura, mineração, jurisprudência, medicina, moral, fomento da religião etc. Para os árabes, assim como para os portugueses e espanhóis, o aspecto mais original do pensamento "está relacionado com os problemas do viver e da conduta".[81] O hispânico, assim como o islâmico, "está sumergido no mundo", o que significa que "inclui a totalidade do mundo exterior a ele na expressão da própria vida".[82]

Para Américo Castro, nos séculos XV e XVI a consciência dos cristãos em seu valor estava impregnada de um sentimento de fidalguia que, na origem, era mais muçulmano do que cristão. Como assinalou Rubem Barboza Filho, "fazer-se fidalgo, afidalgar-se, esse era o objetivo da parte mais ativa da sociedade hispânica entre os séculos XV, XVI e XVII". (...) "O cultivo requintado da palavra e uma concepção estética da ação fizeram nascer [entre os hispânicos] um estilo de aristocracia que determinou um tipo neolatino de personalidade até as camadas mais populares." O mesmo sentimento pode, segundo Américo Castro, ser encontrado também nos judeus, que, na virada do século XV para o XVI, contribuíram para o êxito de Fernando e Isabel. É que, no geral, como sugere Barboza Filho, "a nobreza ibérica reclamou para si a posição de defensora da *res publica*, da justiça e da fé cristã, dando forma a um paradigma universal para toda a sociedade".[83]

Com o passar do tempo, os mouros, os cristãos e os judeus hispânicos confundiam com sua pessoa a honra e a reputação do povo a que pertenciam. Essa identidade ibérica, de antigas influências muçulmanas, se pode distinguir já no século XII e era, desde então, transmitida por médicos, conselheiros ou legistas judeus. Os *mudéjares*, ou seja, os muçulmanos que na Reconquista viviam em território cristão, mas aos quais se permitia praticar sua religião, já eram autenticamente hispânicos na passagem do século XV para o XVI. Para Américo Castro, a crença no senhorio da pessoa foi a alma dos povos que por caminhos diversos deram grandeza à Espanha e ao Portugal da Reconquista.

Senhorio da pessoa

Nos descobrimentos e nas conquistas de terras longínquas, essa consciência do próprio valor tornou-se um denominador comum dos povos da Ibéria. Nas Índias, segundo o historiador português António José Saraiva, mesmo os lusos de origem mais humilde se consideravam fidalgos, portanto superiores aos nativos. "O tipo de vida do fidalgo e o desdém pelo trabalho manual constituem o ideal até dos vilãos, com os quais, aliás, se confundiam pela miséria econômica os fidalgos pobres, reduzidos a ínfimos patrimônios ou a uma vida de expedientes."[84] Os portugueses do povo se igualavam aos senhores quando se colocavam diante dos negros, orientais e índios. Eles acreditavam que estavam destinados ao mando pelo simples fato de serem portugueses. Disse António Sérgio que nas Índias "os portugueses eram tidos como cavalheiros, e não como mercadores, e por isso respeitadíssimos".[85] Na América, essa consciência de fidalguia, que era, evidentemente, tanto de portugueses quanto de espanhóis, os separou por muito tempo do trabalho manual, que ficava para os nativos.

A crença senhorial no valor da pessoa deixou suas marcas no misticismo dos peninsulares, que, como diz o historiador português Oliveira Martins, tem origens cristãs tanto quanto a influência do judaísmo e do averroísmo. Diz o grande historiador que "o espanhol encontrou no misticismo um fundamento para o seu heroísmo e fez do amor divino a melhor arma para o seu braço". Ao passo que as coisas obedecem cegamente à lei fatal da sua existência, "o homem distingue-se das coisas no belo privilégio que Deus lhe dá de determinar livremente o seu destino". "Em vez de se deixar absorver pelo Céu, trouxe para dentro de si a divindade; ganhando assim uma força mais do que humana, porque a energia da sua vontade se tornou para ele a vontade de Deus encarnada em homens."[86]

A cultura da península, diz Oliveira Martins, se distingue por "um espírito de individualismo heroico". Acrescenta o historiador que "a literatura espontânea da Idade Média exprime, de um lado, o misticismo cristão e, do outro, o gênio aventureiro, cristalizado nos romances do Cid". O misticismo espanhol combinou a liberdade e a predestinação, a razão e a graça, em solução paradoxal que deu novo alento ao catolicismo contra o misticismo clássico da Reforma. Por isso, incitou o homem para a conquista do mundo com a espada e com o verbo sagrado. "É no misticismo que se encontra a origem primordial" dessa extraordinária força da Espanha (e Portugal) no século XVI, um "milagre de energia humana". "Por isso o misticismo começa por nos aparecer como uma transformação da cavalaria — *caballeria à lo divino* — em Santa Teresa, na biografia de Santo Inácio e em São João da Cruz."[87] Algumas das mais importantes criações da civilização espanhola durante os séculos XVI e XVII, e inclusive durante o XVIII, são aspectos da singular religiosidade desse povo: "Frades, monjas ou clérigos foram muitas das figuras universais das letras espanholas: Juan de la Cruz, Teresa de Jesús, Luis de Granada, Luis de León, Francisco de Vitoria, Juan de Mariana, Lope de Vega, Calderón, Tirso de Molina, Gracián, Feijoo." A história hispânica, diz Américo Castro, "é, no essencial, a história de uma crença e de uma sensibilidade religiosa e, ao mesmo tempo da grandeza, da miséria e da loucura provocadas por elas".[88]

A Espanha tornava-se líder na Europa do século XVI. Madri foi a morada de muitos artistas, escritores, pensadores que constituíram, entre 1500 e 1650, o "Século de Ouro" da história espanhola. Foi a Espanha também líder incontestável da Reforma católica, a chamada de Contrarreforma. Nesse período viveram místicos como Teresa de Ávila, João da Cruz, frei Luis de Leão. Em 1492, Antônio de Nebrija compôs a primeira gramática de uma língua românica. A música de diversos compositores espanhóis tocava-se então por toda a Europa. No teatro, surgiram as peças de Lope de Vega e Calderón de la Barca. Miguel de Cervantes elevava a novela a um patamar de grande prestígio. Na pintura, Ribera, Zurbaran e Velázquez atingiam fama internacional.

Portugal, tanto nesse como em outros aspectos, não é um caso à parte na península. Há que lembrar, a propósito, os filósofos e teólogos coimbrenses. Além de visitantes ilustres como Juan Luis Vives (1492-1540), Francisco de Vitoria (1492/3-1546) e Domingo de Soto (1494-1560), vale acrescentar os nomes de Alonso de Castro (1495-1558), Melchior Cano (1509-60), Pedro Fonseca (1528-99), Domingo Bañez (1528-1604), Francisco Toletus (1532-96), Luis de Molina (1535-1600), Juan de Mariana (1536-1624), Gabriel Vázquez (1549-1604) e João de Santo Tomás (1589-1644). Além de Francisco Suárez, mestre da "Escola de Coimbra", ali se destacaram também teólogos e juristas como Martín de Azpilcueta, Manuel da Costa, Aires Pinhel e Martinho de Ledesma.

Espanhóis e portugueses tinham na época um mesmo estilo de comportamento. Oliveira Martins descreve, de modo expressivo, um caso exemplar, o de Vasco da Gama em sua viagem às Índias e de sua reação diante dos temores dos marinheiros em face do mar revolto. Na passagem de Mombaça a Calicute, com o medo e os problemas se acumulando, Vasco da Gama convocou os pilotos da esquadra a bordo da sua nau. Nas palavras de Oliveira Martins, o grande almirante ouviu seus capitães e assim finalizou a consulta: "Tomou os instrumentos e papéis, arrojou-os ao mar e, apontando a Índia encoberta, disse-lhes: 'O rumo é este, o piloto é Deus!'" Continuando o relato, acrescenta o historiador: "As grilhetas estavam ali, para meter os descrentes, presos, nos porões." A capacidade de mando do chefe dependia tanto da confiança merecida por sua palavra quanto da violência que tinha reservada à punição dos descrentes.

O ímpeto que moveu os hispânicos durante séculos para reconquistar a Ibéria continuou na conquista da América, da África e da Ásia. Apoiados na confiança que tinham em si próprios e em Deus, criaram no mundo um império cristão, no qual incluíram, entre outras regiões, o Brasil e a Ibero-América. Mas, como vimos, esse império, embora sob dominação cristã, não teria sido possível sem mouros e judeus. Américo Castro enfatiza fortemente esse aspecto. Ao longo das guerras e da sua obrigatória convivência na Reconquista, cristãos, mouros e judeus haviam chegado na passagem do século XV para o XVI às mesmas convicções quanto ao sentido da Espanha. Daí o paradoxo trágico da Ibéria na entrada da modernidade. Ao fim da Reconquista, quando desata a perseguição a judeus e mouros, esses já eram, na verdade, espanhóis. A Espanha surgia para a modernidade como uma casa dividida. Assim também surgia Portugal.

Feudalismo ou regime senhorial?

A história da Reconquista permite compreender que não tenha havido na Espanha e em Portugal um feudalismo típico, ao estilo da França e Inglaterra. Permite compreender também porque os "países católicos" não tiveram burguesias nos séculos dos descobrimentos e da conquista da América. O feudalismo, onde existiu na Ibéria, formou com o regime senhorial uma tessitura social peculiar. Não deveria ser fácil a cristãos, mouros e judeus, divididos entre si por motivos religiosos, uns e outros obedientes a diferentes hierarquias religiosas, assumir as relações de vassalagem características do feudalismo francês ou inglês. Nas típicas relações de vassalagem, o "senhor constituía para o vassalo um horizonte total e absoluto".[89] Nas relações senhoriais, os hispânicos tinham de repartir suas fidelidades conforme as circunstâncias da guerra determinassem as relações entre as hierarquias definidas por suas convicções religiosas. Não poderiam, portanto, como o medieval francês ou inglês, ter clara consciência do que era devido ao rei e a Deus. Além disso, alguns deles não tinham rei. E cada qual tinha concepção própria da divindade. Desse modo, para eles, era natural que o poder de mando viesse a depender da convicção quanto ao valor da mera existência da pessoa.

Enquanto o feudalismo envolvia relações pessoais de tipo contratual entre senhor e vassalo, o regime senhorial vinculava os habitantes da terra aos senhores que garantiam a "justiça" aos que nela viviam. Nesse senhorialismo que, em graus variáveis segundo a região, foi predominante na península, a dependência ao senhor não caracterizava uma vassalagem. Podia ser abandonada a qualquer momento, tanto pelo senhor quanto pelo dependente.

"Não podemos esquecer que, na base de qualquer senhorio banal, estava o senhorio fundiário ou territorial."[90]

Relações senhoriais de mando surgiram, sobretudo, em regiões onde os guerreiros vencedores encontraram uma vasta massa de labregos. Surgiram também em regiões onde o rei pôde repartir as terras em grandes lotes a donatários, os quais passavam a viver do trabalho dos seus colonos. Não por acaso, o regime senhorial ibérico se adequou, com algumas modificações, ao Brasil e aos países ibero-americanos dos primeiros séculos. "O regime senhorial foi a solução adotada pelos homens das épocas medieval e moderna para atingirem idênticos objetivos: o povoamento e o aproveitamento dos novos espaços conquistados. As doações de capitanias e a atribuição de amplos poderes e capitães-donatários foi a 'solução tradicional' adotada para a colonização da Madeira, dos Açores e do Brasil."[91]

Segundo António Sérgio, o reinado de Sancho I, filho de Afonso Henriques, notabilizou-se pela fixação de núcleos populacionais, repovoando lugares que a guerra assolara, pela atração de colonos estrangeiros e pelo desenvolvimento das ordens militares. Por sua vez, no século XIII, Sancho II dirigiu-se, além das atividades de povoação, à conquista das praças do sudeste de Portugal: Elvas, Aljustrel, Mértola, Aiamonte, Tavira, Cacela. No reino de dom Fernando, no século XIV, percebia-se em toda parte a falta de servos rurais e de jornaleiros (diaristas) e por isso o rei adotou leis agrárias, as "leis das sesmarias", que determinavam que todos que tivessem herdades, possuídas por qualquer título, fossem obrigados a seméá-las. Não podendo fazê-lo, que as dessem os sesmeiros a quem as pudesse cultivar, mediante uma pensão ou parcela de produtos.[92] Foram leis como essas que deram base à colonização da Madeira e, depois, do Brasil. Dom Dinis, na passagem do século XIII para o XIV, além de resolver o problema dos templários, fomentou a agricultura, mandou distribuir terras a colonos, concedeu minas, desenvolveu as feiras.

Assim como na Ibéria, também na América as terras conquistadas estavam na área de soberania de um monarca. Quanto à Ibéria, os reis de Leão, Castela e Portugal — depois de separado de Leão — sempre mantiveram um poder mais centralizado do que os monarcas de além-Pirineus. Na América, as terras foram repartidas por meio de grandes propriedades nas quais os senhores passaram a dominar sobre uma massa de índios submetidos à escravidão ou às

encomiendas. Sem esquecer os labregos dependentes que exis
tiram tanto na América como na península. Lá, os senhores
passaram a dominar ainda, em outros casos, camponeses
livres anteriormente residentes na região.[93]

Segundo Sánchez-Albornoz, o povoamento que acompanhava as conquistas na península se realizou durante séculos
sempre da mesma maneira, cabendo o comando a um homem
de poder — infante, magnata ou sacerdote — que repartia as
terras com quem quisesse ocupá-las para formar agrupamen-
tos e povoados. Iniciavam-se, assim, hierarquias senhoriais
envolvendo uma gradação social que, por intermédio dos
senhores, descia dos reis aos vilãos. Desde o norte da península até o sul, a colonização se realizou sobre a base de uma
nova figura jurídica, o município, no qual todos eram livres,
com exceção dos mouros cativos. Desse modo, diz Sánchez-
Albornoz, "a repovoação fez das planícies do Douro uma ilha
de homens livres na Europa feudal". É que a colonização das
planícies de Leão e Castela não foi realizada por senhores
poderosos, mas por imigrantes sem fortuna e por moçárabes
que fugiam do sul para escapar das perseguições e guerras
promovidas pelos mouros. Eles criavam aldeias de homens
livres — enfiteutas de terras do rei, pequenos proprietários
e infanções — gentes que viviam pobremente de agricultura e pecuária. O que os movia às novas terras era a busca
de liberdade e de fortuna e nessas empreitadas apostavam
a própria vida.[94] Eram impulsionados às novas terras pelo
espírito de aventura, a busca de liberdade, a confiança em si
mesmos, a procura de algo melhor para viver.[95]

Desde o século IX até o XIII, com avanços e retrocessos, a
Reconquista criou Castela, o embrião da Espanha moderna.
Em uma segunda etapa, iniciada em 1085 com a conquista de

Toledo, na repovoação do Douro não houve servos rurais.[96] Os avanços do Douro para o sul se fizeram apoiados na cavalaria das vilas, em enfiteutas e pequenos proprietários, sob a chefia dos condes de Castela, que precisavam de forças armadas para a luta contra os muçulmanos. Essa *"caballeria villana"* ampliou-se depois por toda a zona fronteiriça, atravessando Castela, Leão e Portugal, permanecendo nas fronteiras de Granada até fins do século XV.

A região norte de Portugal, cujas terras haviam sido despovoadas no século VIII, foi colonizada até Coimbra por gente da Galícia. "A força prolífica das gentes da Galícia — que povoaram meia Espanha e meia América — explica a rapidez com que a vida voltou às terras portuguesas." Colonizados por galegos, os portugueses adotaram um estilo de vida coincidente com o da Galícia, embora às terras de Portugal tenham chegado também os imigrantes moçárabes do sul. Como em Leão e Galícia, surgiram em Portugal muitos homens livres, pois a colonização fronteiriça favoreceu a liberação das populações rurais. Em Portugal, porém, diferentemente de Leão e Castela, surgiu uma nobreza mais forte, com extensas terras senhoriais e maior quantidade de servos e agregados.[97]

Diz Oliveira Martins que na passagem do século XI para o XII até Afonso VI "os prisioneiros de guerra, quando escapavam aos morticínios da conquista, eram reduzidos ao cativeiro mais feroz". "Na conquista de Toledo, em 1085, são os primeiros mouros que entre os cristãos encontram um regime análogo ao dos cativos espanhóis sob o domínio sarraceno." Para Oliveira Martins, o exemplo de Toledo foi seguido em Valência e por toda parte. O genro de Afonso VI, dom Henrique, e seu filho, o primeiro rei português, seguiram as lições dos de Leão, quando estenderam o seu domínio até o Tejo e conquistaram Lisboa e Santarém, chaves da Estremadura portuguesa.[98]

Em fins do século XI, a monarquia castelhano-leonesa sofreu o impacto do feudalismo europeu, por meio dos esforços de colonização dos monges seguidores de Cluny e das peregrinações a Santiago de Compostela. Fundada no século X, a abadia de Cluny, na Borgonha, ficou conhecida como "a alma da Idade Média". Segundo Américo Castro, "pelo chamado caminho francês passaram milhões de pessoas, entre os séculos IX e XVII". Afonso II, das Astúrias, estimulou as peregrinações a Santiago, pois Roma decaíra e Jerusalém, em mãos dos muçulmanos, se havia tornado inacessível. Além disso, os vínculos dos reinos de Leão e Castela com a cristandade europeia difundiram entre os espanhóis ideias e costumes feudais. Entre tais vínculos estão os casamentos arranjados por Afonso para suas filhas, incluindo dois genros franceses, um dos quais é o conde dom Henrique, proclamador da independência de Portugal. Mas a vinculação vassalática em Leão e Castela nunca se tornou hereditária, nem sequer necessariamente vitalícia. Ainda quando tendesse a prolongar-se pela vida do beneficiário, podia ser rompida pelo vassalo que tivesse rendas e posses bastante para restituir benefícios recebidos.

Na Ibéria jamais perderam validade os laços que uniam todos os súditos ao rei, pois as guerras da Reconquista sempre colocaram nas mãos da monarquia um imenso butim territorial e burocrático, propício a restaurar o poder econômico e militar da realeza.[99] Mencionando especificamente o caso de Portugal, afirma Maria Ângela Beirante que a designação de "nobre" era inicialmente vaga, agrupando todos os homens livres de bom nascimento e alguma fortuna. "O seu estatuto só se tornaria verdadeiramente de exceção quando incorporasse outros motivos de desigualdade entre os homens livres, *como o poder e o serviço do rei*. (...) Desde o século IX até o ano 1000, os verdadeiros detentores do poder político eram os condes ou companheiros de armas do rei, responsáveis pelo primeiro arranque da Reconquista. Como mais importantes apontem-se os de Portucale e de Coimbra."[100] Os condes distinguiam-se pela sua estirpe, aparentada com a estirpe régia, e exerciam o poder de julgar e de comandar os exércitos. É nesse sentido que George Duby afirma que a nobreza foi uma criação do rei.

Mas, diferentemente do feudalismo francês, no qual só os nobres eram guerreiros, na península, assinala Sánchez-Albornoz, os citadinos e os camponeses participaram das lutas da Reconquista ao lado dos nobres, pois a guerra e a colonização favoreceram o surgimento dos caminhos que conduziam ao êxito e ao enriquecimento pessoal. Reafirmaram a valorização hispânica das pessoas, ao exaltar a consciência da própria personalidade, até mesmo devido ao isolamento sofrido pelos povoadores nos novos lugares onde passavam a viver. Reforçaram ainda seu gosto pelo sonho e pela aventura e acentuaram o peso do popular, e sua rudeza, na vida espanhola. Na Espanha cristã, os audazes e os afortunados tinham sempre a possibilidade de subir e entrar nas hierarquias sociais superiores. Desde os montes da Europa até as serranias de Granada, quando chegava uma hora promissora e esperançosa os cristãos se sentiam acicateados pela mesma ilusão de adquirir riqueza e de ascender socialmente a golpes de lança.[101]

Paradoxos ibéricos

As circunstâncias da história criaram uma civilização singular na península. Nos séculos XIV e XV, a França e a Inglaterra ainda eram países agrários voltados para dentro nos moldes feudais clássicos, enquanto Espanha e Portugal já haviam criado um estilo próprio voltado para a conquista dos espaços e povos do mundo. Mas, como vimos, ao fim do século XV, os cristãos, na arrogância do seu domínio, passaram a empenhar-se na expulsão dos judeus e, depois, dos mouros, no que foram ajudados pela obra sinistra da Inquisição. No século XVI, muitos judeus permaneceram na península, na condição de "cristãos novos", mas muitos deles se viram obrigados a esconder suas verdadeiras convicções religiosas. Foi assim que a Ibéria entrou numa nova fase de intolerância que se voltava contra a síntese de culturas que havia conquistado em seu passado, desprezando um sentido cultural que resultava de séculos de sua história. Encontra-se aí uma das raízes da marginalização dos países ibéricos perante a Europa, que iniciava sua modernização além-Pirineus.

Já a partir da segunda metade do século XVI, os tempos ibéricos da descoberta do mundo se transformaram em uma história de decadência, embora venham do último quartel do século XVI e início do XVII algumas das obras mais expressivas da cultura hispânica. Os *Lusíadas*, de Camões (1572), e *Dom Quixote*, de Cervantes (1605), expressam tanto a grandeza renascentista dos descobrimentos quanto o prenúncio dos tempos obscuros de uma longa decadência. Em que pese a tradição dos erasmistas hispânicos, em especial a herança de Juan Luis Vives, em Portugal e Espanha se tornarão mais poderosos os entraves contra as manifestações do humanismo.

A formação do Brasil e dos países ibero-americanos se deve tanto aos impulsos inovadores dos primeiros tempos dos descobrimentos quanto aos tempos de obscurantismo que os acompanham. Os novos países ibero-americanos são devedores dessa dupla face da península, empreendedora e aguerrida, mas também submersa e obscurantista. Para Oliveira Martins, os "países católicos" que se notabilizaram pela coragem e pela força da vontade humana passaram a explicar tudo pelo medo e pelo acaso. O mesmo misticismo que impulsionou os descobrimentos produziu também, no século XVI, "dois faraós", João III e Filipe II. E cobrou dos povos hispânicos pesado tributo que se exemplifica na aventura insana de dom Sebastião em Alcácer-Quibir (1578) e na desastrosa experiência da Grande Armada (1588). Diz Oliveira Martins que segundo o espírito ensandecido daquele tempo foi um grande vento "que dispersou a Grande Armada" (...) e "que levantou em Alcácer-Quibir as nuvens de areia ardente".[102] "Corre sem vela e sem leme/ O tempo desordenado/ De um grande vento levado!" — os versos de Camões relembram a advertência do velho do Restelo.

De um modo ou de outro, o pequeno país — "onde a terra se acaba e o mar começa" — esteve, no período dos descobrimentos, por muito tempo ligado à história do seu grande vizinho, desde dom João II a dom João IV, em Portugal, e desde Fernando e Isabel até Carlos V e Filipe II, na Espanha. Nos séculos XVI e XVII, as duas coroas ibéricas se reuniram, sob hegemonia de Castela, por sessenta anos (1580-1640). Já era o período da decadência dos dois países, que se revelavam incapazes de acompanhar o passo da modernização na França, Inglaterra e Holanda. Mas mesmo decadentes, tendo perdido muitas de suas colônias nas Índias, os ibéricos mantiveram suas garras nas colônias americanas. No caso do Brasil, a "união das coroas" tem uma significação especial — e de certo modo paradoxal — como o período da grande expansão do território brasileiro para além da linha das Tordesilhas.

Assim como Portugal e Espanha foram duas nações complementares em face dos grandes desenvolvimentos da civilização a que deram origem, também a América portuguesa e a América espanhola formaram duas partes de um mesmo todo cultural no Novo Mundo. Portugueses espalharam-se desde a conquista por todas as regiões andinas, do norte da Colômbia até os confins meridionais do Chile. Não houve grande conquistador espanhol que não contasse nas suas hostes com capitães e soldados portugueses. Do mesmo modo, não faltaram do lado de cá capitães espanhóis em meio aos conquistadores portugueses. É conhecida, na história colonial brasileira, a comunicação de São Vicente, de São Paulo e do Rio de Janeiro com o Paraguai, o Peru e o norte da Argentina.[103]

Se na Reconquista da península se encontra a raiz da identidade hispânica, na conquista da América se acha a raiz da identidade do Brasil e dos países ibero-americanos. No caso particular do Brasil, a conquista dos territórios para além das Tordesilhas pelos bandeirantes é a raiz da identidade brasileira. Ou seja, grande parte, se não a maior parte, do território brasileiro resultou de uma expansão sobre terras que, pela linha das Tordesilhas, se supunha fossem castelhanas.

SEGUNDA PARTE

Terras e Mitos

CAPÍTULO V No começo eram os mitos

O antropólogo mexicano Fernando Benítez iniciou sua história de Hernán Cortéz na conquista do México com palavras de ressonância bíblica: "*En el principio era el mito.*" Haveria que começar uma história da conquista do Brasil com as mesmas palavras. Também aqui foram as lendas e os mitos que, primeiro, moveram os conquistadores. Mais do que por projetos ou objetivos definidos, eles se orientavam em suas marchas por sonhos e crenças, além de muita ambição e coragem.

Benítez assinala, entre outros, o exemplo de Colombo, que teria dito que "para a execução da empresa das Índias (...) não me foram de proveito a razão, nem a matemática, nem os mapas". E acrescentou: "Simplesmente se cumpriu o que disse Isaías." Como outros personagens da Idade Média que havia muito tempo viviam sonhando com as ilhas do Atlântico, o grande navegador era fascinado com o mito da Atlântida. E havia motivos para tal. As Antilhas começaram a figurar nos mapas europeus já em 1367. Diz Benítez que nos sonhos medievais houve ainda outras ilhas, como a do Brasil, a das Mulheres e a dos Homens. "Entre 1380 e 1405, as penas (dos cartógrafos) desenharam Estotilândia, na qual se viu a prefiguração ou a recordação de Terranova." Segundo o historiador argentino Enrique de Gandía, "aquelas ilhas (indicavam) desde séculos o prenúncio da América que acicateava a alma dos marinheiros, chamando-os desde o oeste distante".[104]

Como filhos da península, onde a religião e o misticismo impregnavam a vida cotidiana, os conquistadores da América eram sensíveis a crenças e sonhos de velhas origens. Como em muitos outros aspectos, Portugal e Espanha transferiram essa marca para os países ibéricos em geral. O ensaísta uruguaio Angel Rama traduziu esse espírito original da cultura da América Ibérica de modo lapidar. Aqui, disse ele, os signos têm "precedência sobre as coisas".[105]

Perto do paraíso

São muitos os mitos e as lendas que precedem e acompanham a expansão territorial da América portuguesa. Dessa disposição de alma dos conquistadores bastam, porém, alguns exemplos. Para Joaquim Ribeiro, as lendas mais frequentes entre sertanistas e bandeirantes foram a da lagoa Dourada, do vale dos Infiéis (nas montanhas entre o Peru e o Brasil), do Upabuçu, do rio da Morte, da Cidade Abandonada, das Amazonas.[106] São esses talvez os mitos mais importantes. Há, porém, como veremos, muito mais.

Entre os estudiosos brasileiros quem mais enfatizou a força dos mitos sobre as bandeiras foi Cassiano Ricardo: os mitos "arrastam a bandeira para o sertão bruto de modo irresistível". São os mitos nascidos da ideia de riqueza, como a "itaberaboçu resplandecente", a "lagoa dourada", a "lagoa onde se diz haver pérolas", a "serra das esmeraldas", enfim, os mitos do ouro, da prata e das pedras verdes. "O sertão enigmático exacerba, por si mesmo, a imaginação do bandeirante; as riquezas que deviam existir lá dentro, nos cafundós, exigem a aventura, criam a fábula. A linguagem das pedras verdes e da lagoa dourada, por exemplo, é essencialmente metafórica e, portanto, fabuladora."[107]

Sérgio Buarque de Holanda, sem desconhecer a relevância dos mitos na colonização sobre a qual escreveu o brilhante *Visão do paraíso*, observou que haveria entre os portugueses certa moderação da fantasia. Sergio Buarque entendia que "os voos imaginativos dos lusos foram provavelmente mais contidos do que os dos castelhanos". Os portugueses teriam uma dose maior de pragmatismo que poderia talvez resultar da centralização do poder, maior em Portugal do que em outros países. Mas ainda assim, assinala, os lusos não podiam deixar de conviver, bem como os espanhóis, com "um poderoso pendor para a fábula". Também entre eles "o sobrenatural preserva seus eternos direitos".[108]

A capacidade de crer em mitos não era, porém, só de portugueses e espanhóis. Alguns dos exemplos mais notáveis dessa disposição são de italianos. Como vimos, quando chegou às Antilhas, Colombo acreditou que se achava nas proximidades do Éden. Alguns anos depois, Américo Vespúcio registraria a existência de uma terra paradisíaca nas costas do Brasil.[109] Registre-se ainda, entre os lusos, que Gabriel Soares de Souza, grande sertanista e um dos cronistas mais realistas da colônia brasileira, perdeu sua fortuna e sua vida em esforços frustrados para chegar à fabulosa "lagoa dourada". Não tenho elementos para afirmar que um sacerdote culto como Manuel da Nóbrega acreditasse nessas lendas. Mas é certo que em carta a Lisboa sobre o norte do Brasil, ele mencionou a seu superior a existência de índios em guerra com as "amazonas", as famosas mulheres guerreiras, cuja imagem, sinal evidente de memória mítica da Antiguidade, fora difundida pelos companheiros de Francisco de Orellana (1490-1550).[110]

Na mentalidade medieval da época, a natureza, criada por Deus, estava carregada de significados espirituais. A crença na proximidade do paraíso terreal era uma espécie de ideia fixa, não apenas uma sugestão metafórica. "A crença na realidade física e atual do Éden parecia então inabalável", diz Sérgio Buarque de Holanda.[111] Basílio de Magalhães, num dos melhores levantamentos das entradas e bandeiras dos séculos XVI e XVII, disse que, não obstante a relevância do renascimento e do humanismo, esses tempos foram "uma quadra de agudo misticismo".[112]

Na época, não se concebia contradição entre a cobiça de riquezas e as crenças impregnadas de influências religiosas, não pelo menos entre os muitos aventureiros que avançavam pelas florestas da América. Tendo acompanhado Orellana em sua viagem, o frei Gaspar de Carvajal registrou em sua *Relación* que, ao descer em 1541 o rio Amazonas, os mesmos índios que falaram ao conquistador sobre as mulheres guerreiras deram-lhe notícia de que haveria muito ouro nas terras por onde seus homens iriam passar.[113] As fabulações sobre a existência de um paraíso na terra estavam, de algum modo, associadas ao sonho do enriquecimento pessoal e aos desejos de crescimento do poder. A preocupação com o poder era essencial, quer se trate do poder do monarca, da Igreja, ou do conquistador diretamente interessado em uma dada empreitada.

Seria a crença medieval no paraíso terrestre a mais elevada das fantasias que inspiravam os aventureiros da época? É difícil definir hierarquias entre esses mitos, alguns dos quais herdados da formação medieval europeia, outros da formação ibérica comum a lusos e espanhóis. Como já disse, eram muitos os mitos, alguns dos quais, em especial entre os portugueses, vinham das circunstâncias que acompanharam o desbravamento do território e misturados ao senso realista que lhes era peculiar. Não por acaso, o reconhecido realismo dos lusos terminou por tornar-se tributário de sua credulidade. A força de sedução das lendas era favorecida pela imensa ignorância sobre o território que apenas começavam a conquistar. A fantástica geografia da época estava povoada de miragens e fantasmas que só a prática continuada da expansão e o conhecimento que propiciava permitiriam "exorcizar" (Sérgio Buarque de Holanda). Mas isso só viria com muito tempo e esforço.

A "ilha afortunada"

Durou muito entre os lusos a crença na existência de uma ilha fabulosa deste lado do mundo onde se encontra o Brasil. Segundo antigas tradições célticas, de muitos séculos antes dos descobrimentos, acreditava-se que essa ilha edênica estava no oriente. Essa ilha maravilhosa mudou, porém, mais de uma vez de localização na geografia imaginária dos tempos. Por volta do século X, passou a cogitar-se que se encontraria no Atlântico, de onde desaparecera em fins do século XVI. Em 1367, a carta de um italiano de Pizzigano a designava como Ysola de Braçir e seu conterrâneo André Benincasa a citava em mapa de 1467, como ilha do Brasil, ou Braçile. Segundo Richard Hemming, o topônimo Brasil aparenta-se às palavras irlandesas Hy Bressail e O'Brazil, que significariam "ilha afortunada".

Diz a historiadora inglesa Elaine Sanceau que as ilhas do Atlântico eram conhecidas dos geógrafos medievais. "A perdida Atlântida, as Hespérides, as ilhas dos Bem-Aventurados, a ilha das Aves de São Brandão, as Afortunadas — parece que se perderam e tornaram a perder de espaço a espaço, durante mais de dois mil anos." Essas ilhas pairaram assim durante séculos na orla dos conhecimentos europeus, até que o Grupo das Canárias, que estavam relativamente perto do continente, foi o primeiro de todas elas a surgir da lenda para a luz.[114]

Para dar nome ao território brasileiro, juntaram-se as vozes obscuras da mitologia e as circunstâncias rústicas da conquista, a herança mítica com a prática rasteira do extrativismo, primeira face da exploração colonial. O estreito empirismo dos conquistadores lusos se deixava, por assim dizer, "confirmar" pelos arquétipos da memória mitológica. O que não deixou de provocar os protestos de João de Barros, que não via qualquer sentido em trocar-se o nome de Santa Cruz pelo de uma árvore cuja grande virtude era oferecer aos homens uma tintura vermelha de tingir panos.

Com o descobrimento e a conquista confluíram para o reconhecimento da ilha imaginária as primeiras e dispersas impressões dos descobridores do novo continente. O território, então inteiramente desconhecido, que coubera aos lusos pela Bula Inter Coetera, de 1493, do papa Alexandre VI (dando origem ao Tratado das Tordesilhas, ratificado pelo papa Júlio II, em 1506), seria formado, segundo alguns dos primeiros mapas da América, por grandes rios que desembocavam, ao norte e ao sul, no mar oceano. Esses primeiros mapas parecem repetir antiga narrativa mitológica sobre o paraíso terreal, descrevendo um grande lago que alimentaria alguns grandes. É o caso do *Novus Orbis*, de Sebastien Münster, de 1540, que assinala, ao norte, as ilhas de Hispaniola e Cuba e que registra, ao sul, uma terra dos "canibais", aproximadamente na região onde hoje se encontra o Brasil. Adentrando essa região de modo a separar a terra (ou ilha) dos "canibais" estão no mapa dois grandes rios, que, segundo Münster, nascem no interior, no célebre lago. Esses rios se dirigem para o sul, onde podemos imaginar (com as informações de hoje) estaria o Prata e, para o norte, onde se acharia o estuário do Amazonas.[115]

Algo semelhante se percebe nos mapas de André Thevet, de 1581, de Abraham Ortelius, de 1595, e, sobretudo, na carta Hondius da América do Sul, de 1606. Os grandes rios nascem no centro da ilha (ou do continente) e correm para o oceano Atlântico. O centro da ilha é um grande lago, provavelmente a primeira versão do "lago dourada", de longa permanência no imaginário colonial brasileiro. Lagoa mágica que, diz Sérgio Buarque de Holanda, estaria "situada quase invariavelmente às cabeceiras de um ou mais rios caudalosos (e) se deslocava frequentemente segundo a caprichosa fantasia dos cronistas, cartógrafos, viajantes ou conquistadores".[116]

Mas no correr do tempo, embora a "lagoa dourada" viesse a aparecer em lugares diferentes, na imaginação dos portugueses ela permanecia sempre em algum lugar da parte que eles supunham lhes cabia na América. Divididos entre a experiência e a fantasia, é possível que alguns dos seus mitos se misturassem a razões de conveniência geopolítica, favorecendo Portugal em detrimento das ambições espanholas. Os espanhóis acreditavam que o meridiano das Tordesilhas, definido a 370 léguas a oeste de Cabo Verde, passaria, ao norte, pela boca do Amazonas, aproximadamente Belém, e, ao sul, por Cananeia, no litoral paulista. Os portugueses, por sua vez, permaneceram aferrados à ideia de que o meridiano passaria, ao norte, pela boca do Amazonas e, ao sul, pela boca do Prata. Como nas representações míticas da "lagoa dourada", os príncipes e conquistadores lusos supunham definidos os limites naturais do território português nos estuários dos dois grandes rios. E, na realidade, depois de 1640, a ação da metrópole passou a buscar os caminhos da bacia amazônica, ficando o restante da expansão reservado aos missionários católicos e aos criadores de gado.

Não há exagero em dizer que a convicção da existência de uma Ilha-Brasil inspirou na Coroa e em muitos conquistadores lusos uma visão política — se não uma estratégia. O historiador português Jaime Cortesão fala da existência de uma política portuguesa de conquista da Ilha-Brasil que, nas suas linhas gerais, se manteve até o Tratado de Madri.[117] Uma hipótese verossímil e, como as demais, controversa. Em todo caso, sabe-se que no Tratado de Madri os lusos perderam a entrada do Prata, o Uruguai e a Colônia do Sacramento, mas ganharam o Amazonas e o Rio Grande do Sul e, ainda, o centro-oeste brasileiro, onde hoje se acham Goiás, Tocantins e Mato Grosso, inclusive o do Sul.

Jaime Cortesão não foi o único a associar os mitos da conquista à estratégia política. Em seus estudos das lendas associadas à conquista do Brasil, Sérgio Buarque de Holanda sugeriu a existência de um vínculo entre as heranças míticas e as ideias precursoras da construção de Brasília. Ao referir-se à força e permanência das tradições e lendas, o historiador se pergunta: "não é bem um eco desse pensamento agora convertido em visão premonitória e futurista o que ressoa já no século XIX nas palavras de Hipólito da Costa, quando coloca a capital imaginada do Brasil naquelas mágicas paragens?" Nessa visão, os homens parecem encaminhar-se para um "país do interior central e imediato à cabeceira dos grandes rios". Nesse lugar edificariam "uma nova cidade; começariam por abrir estradas que se dirigissem a todos os portos de mar. (...) em uma palavra, uma situação que se pode comparar à descrição do 'Paraíso Terreal'".[118]

O "caminho dos índios" e as primeiras entradas

Em todo caso, é difícil compreender a tenacidade dos conquistadores sem se admitir a força da fé que depositavam em seus mitos. Além das lendas que traziam da Europa, eles desbravaram o território seduzidos pelas lendas e pelas narrativas, sempre imprecisas, dos índios, bem como pelas informações dispersas e, muitas vezes, confusas dos que, antes deles, passaram por essas terras. A conquista, ao mesmo tempo em que tomou posse de crenças antigas, propiciou a criação de mitos, originados por fiapos de notícias sobre o interior. Em uma entrada famosa do baiano Antônio Dias Adorno, um mameluco, neto de Caramuru e de ascendência italiana, foram vistas esmeraldas e safiras. O aventureiro inglês Anthony Knivet, que esteve no Brasil em fins do século

XVI, e que estava convencido da proximidade de Potosí, a fabulosa montanha de prata do Peru, disse também ter visto pedras verdes em suas andanças.[119] Informações dispersas como essas alimentaram iniciativas de enormes repercussões e também casos notáveis de grandes fracassos. Exemplos famosos na colônia foram os das "minas de prata" de Gabriel Soares de Souza e das esmeraldas de Fernão Dias que veremos mais adiante.

Sombras de incerteza permanecem ainda hoje sobre alguns mitos da conquista. Ainda não se sabe, por exemplo, qual teria sido o traçado do "caminho dos índios", embora se saiba que existiu, ao sul do Brasil, um caminho com esse nome, que os índios designavam como Peabiru. Teria cerca de 3 mil quilômetros e permitiria uma travessia do Atlântico ao Pacífico, ligando o Peru a São Vicente, bem como aos atuais estados de Santa Catarina e Rio Grande do Sul. Há registros de que o português Aleixo Garcia (companheiro de Juan Díaz de Solís, navegador espanhol) teria passado pelo Peabiru, indo de Santa Catarina às vizinhanças do Peru, em 1524, onde morreu. São em geral muito incertas as notícias sobre Garcia, mas sabe-se que ele chegou ao Peru. E chegou antes de Francisco Pizarro. Consta que pelo "caminho dos índios" também passou o alemão Ulrico Schmiddel, que saiu de São Vicente em 1534 e tomou o rumo do Prata até o Paraguai.

O Peabiru teria sido também, em 1542 e 1543, o caminho de Alvar Nuñez Cabeza de Vaca, um aristocrata espanhol — era neto de um dos conquistadores das Canárias — que já estivera na Flórida e no México e que, depois de muita viagem e sofrimento, teria voltado a Sevilha.[120] Teria também passado pelo Peabiru o jesuíta Leonardo Nunes, companheiro de Manuel da Nóbrega, que os índios chamavam de Abaré-

Bebé, "o padre voador", em homenagem à rapidez com que se deslocava pelo território. No século XVII, o "caminho dos índios" teria sido utilizado por Raposo Tavares, para seus ataques aos redutos jesuítas do Guaíra.

Segundo o jesuíta espanhol Antônio Ruiz de Montoya — autor de *Conquista espiritual*, um texto de veemente denúncia dos bandeirantes que ele chamava de "portugueses de São Paulo" —, o Peabiru começava na costa de São Vicente e, passando por São Paulo, conduzia ao Guaíra.[121] Para alguns, teria sido aberto pelos guaranis em busca de uma mitológica "terra sem mal". Foi também chamado pelos jesuítas de caminho de São Tomé, o apóstolo de Cristo que teria andado por essas terras em tempos remotos. E há ainda quem acredite que foi criado pelos incas quando buscaram fazer crescer seu império pelos lados do Atlântico. Sinais de muitas dessas histórias sobre o "caminho dos índios" ficaram nos nomes de Peabiru e Guaíra, dois municípios do atual estado do Paraná.

Para Capistrano de Abreu, a primeira entrada no Brasil foi a de Américo Vespúcio, que, em 1503, participou da viagem do navegador português Gonçalo Coelho (1451-1512), enviada ao Brasil por dom Manuel. Vespúcio teria penetrado 260 quilômetros no sertão de Cabo Frio, no Rio de Janeiro. Essa expedição foi financiada pelo judeu Fernão de Noronha, natural das Astúrias, e representante do banqueiro alemão Jakob Fugger na Península Ibérica. Dessa entrada resultou em 1504 a concessão pelo monarca de contratos de exploração do pau-brasil, bem como a doação a Noronha da primeira capitania da colônia. Outro companheiro de Gonçalo Coelho, o fidalgo português Cristóvão Jacques, também mandado por dom Manuel, esteve, em 1516, no litoral brasileiro.

Embora ainda mais ocupada com a exploração das Índias no outro lado do mundo, a metrópole procurou, nos inícios do século XVI, assegurar a soberania na parte que lhe cabia, ou que acreditava caber-lhe, na América. Desse modo, depois de Gonçalo Coelho, Vespúcio e Cristóvão Jacques, e já no reinado de João III (que alguns historiadores portugueses designam como "o Colonizador", outros como "o Piedoso"), foi enviado a São Vicente o aristocrata Martim Afonso de Souza.

A Coroa era portuguesa, mas os vínculos com a Espanha eram evidentes. João III, que subiu ao trono em 1521, era filho de dom Manuel e dona Maria de Aragão, princesa de Espanha, filha dos Reis Católicos. Sinais dessas ligações entre os dois países são também visíveis nas biografias de muitos dos portugueses enviados naqueles anos ao Brasil. Martim Afonso era senhor do Prado, da grande família dos Souza, primo de Tomé de Sousa. Era casado com dona Ana Pimentel, dama de companhia da rainha da Espanha. A proximidade dos lusos em relação aos espanhóis é ainda maior na relação com os jesuítas, que desde o início acompanham a conquista e dela participam.

Diz o padre Serafim Leite que, embora as primeiras aldeias se situassem na costa, à beira-mar, "já desde o século XVI se tornaram frequentes as entradas ao sertão com o fim de descer gentio para se doutrinar naquelas aldeias da costa em ambiente já civilizado". A pregação dos padres se tornaria mais viável para os índios situados mais próximos da vila. Daí a necessidade, desde o começo, de "descê-los" para mais perto dos colégios e das residências dos padres.[122] Sendo o nomadismo e a dispersão dos índios um problema a mais para a evangelização, reunir o gentio em grandes aldeias seria o caminho para colocá-los mais próximos de uma vida social mais ampla.

Nóbrega contou com o apoio dos governadores-gerais, em particular de Tomé de Sousa e de Mem de Sá. Segundo José de Anchieta, nascido em Tenerife, nas ilhas Canárias, e aparentado de Inácio de Loyola, Nóbrega pediu a Mem de Sá "que usasse de força com os índios da Baía para se ajuntarem em aldeias grandes e igrejas para ouvirem a palavra de Deus, contra o parecer e a vontade de todos os moradores, o qual depois se estendeu por toda a costa, que foi meio único de salvação de tantas almas e propagação de Fé". "Mem de Sá mandou dar e demarcar sesmarias às aldeias do Colégio da Baía (...) Numerosas aldeias se fundaram depois e nem sempre os encarregados de conceder as terras viam com olhos catequéticos essas fundações, como sucedeu nos sertões da Baía, na Jacobina e nas margens do São Francisco."[123] Além da fundação das aldeias na larga periferia do Colégio, desde a capitania ao sul até Goiana ao norte, iam à Capitania da Paraíba. São numerosas as entradas dos missionários ao Rio Grande do Norte, ficando mais célebre, entre todas, a realizada em 1607 por Luís Figueira e Francisco Pinto à serra de Ibiapaba, no Ceará. Ao norte da Bahia, o Colégio de Pernambuco foi centro muito ativo de entradas antes da invasão holandesa de 1630.[124]

Crescendo as ameaças dos corsários, sobretudo da França e da Holanda, João III apenas seguiu política anterior da Coroa e da administração colonial. O que se tornava, de resto, inevitável, até porque Portugal já havia perdido partes das Índias para os holandeses. É de Francisco I, que, em 1515, depois da morte de Luís XII, assumira o trono da França, a famosa indagação sobre onde estaria o testamento de Adão que teria deixado metade do mundo para Portugal e Espanha. Francisco I acumulou rapidamente conflitos com Carlos V, pai de Filipe II. Havia, pois, razões de sobra para que João III decidisse fazer frente aos franceses no Brasil.

Foi esse, aliás, um dos objetivos da nomeação de Martim Afonso, em 1531, e, antes dele, em 1526, de Cristóvão Jacques, de ascendência aragonesa, mas membro da nobreza portuguesa. Martim Afonso se estabeleceu em São Vicente e mandou ao sertão três expedições, além de diversas iniciativas que tornaram seu mandato bem mais efetivo do que o de Jacques. A primeira expedição trouxe notícias de ouro e prata depois de haver percorrido 1.500 quilômetros interior adentro. A segunda foi uma tentativa com o capitão Pero Lobo e Francisco de Chaves, este último espanhol que fora companheiro de Solís e Garcia. Chaves morreu na empreitada sem poder cumprir a promessa de levar ao rei português "400 escravos carregados de prata e ouro". A terceira entrada tomou a direção sul, rumo ao rio da Prata.

Potosí no rio São Francisco?

A política de Portugal na colônia era a de conquistar terras para encontrar ouro. Todo o horizonte das ações da Coroa em relação à colônia se resumia, nas primeiras décadas, em uma política extrativa, conquistar terras para encontrar ouro. Rapidamente essa perspectiva se completou: povoar a terra para melhor conquistá-la. Na mentalidade medieval da época, assim como a honra estava associada ao poder, a conquista estava associada ao saque e à dominação dos nativos.

Era, portanto, necessário apresar índios, sem os quais o território e as minas seriam inalcançáveis. Daí a relevância que a Coroa sempre atribuiu ao sul, tendo em vista o controle do acesso ao rio da Prata, que esperavam viesse a se tornar um caminho para o Peru. Por isso, para Portugal, o Prata deveria ser considerado um dos "limites naturais" da sua soberania nas terras da América. A busca dos caminhos para o oeste e para o norte segue a mesma lógica, embora com outros rios e acessos.

A antecipação dos espanhóis na conquista da América deu pressa à conquista da América pelos portugueses. No México e no Peru, os conquistadores dirigidos por Cortéz e Pizarro chegaram cedo às minas. A descoberta de riquezas por parte dos lusos do lado do Atlântico se deu quase sempre com atraso em relação aos espanhóis. A propósito, consta que Martim Afonso começou a preparar uma expedição ao Peru logo após chegar a São Vicente, mas teria mudado de planos depois de notícias das aventuras de Pizarro no lado do Pacífico que chegou ao Peru em 1533. Pizarro vinha de uma participação nas fileiras de Vasco Nuñez de Balboa, o conquistador do Panamá.

No mesmo ano de 1541 em que os homens de Pizarro descobriram a "montanha de prata" do Potosí, ele morreu nas mãos de asseclas de Diego de Almagro, até então seu companheiro de aventuras. Na época, a Bolívia, onde Potosí se encontra hoje, ainda não existia, nasceu depois como fruto das lutas de independência do século XIX. Naquele tempo, Potosí, então no Peru, se transformaria, pouco depois da descoberta das minas, numa das maiores cidades da América. À volta das minas cresceu rapidamente a cidade, que teria 150 mil habitantes ao iniciar-se a segunda década do século XVII. E, na imaginação da época, cresceu também o próprio Peru, que expandiu as suas imaginárias fronteiras na direção leste, ou seja, na direção do Brasil. Um crescimento que se imaginava tão grande que em alguns mapas da época quase se confundia com metade da América do Sul, "incorporando" boa parte do que é hoje o centro-oeste brasileiro.[125]

A fabulosa descoberta no Peru foi um estímulo para que a Coroa portuguesa se decidisse pela criação dos governos gerais da colônia, que começaram em 1548. Assim como os espanhóis imaginavam crescer na direção do leste, os portugueses passaram a buscar Potosí pelos lados do oeste. Numa época em que mal se conheciam as distâncias continentais, as novas autoridades portuguesas fixaram a ideia de que seria possível atingir Potosí avançando pelo sertão adentro. Desde cedo, portanto, o horizonte luso-brasileiro se abria para oeste, para o interior. Até porque a Coroa portuguesa se preocupava também com a suposta proximidade da cidade de Assunção, fundada pelos espanhóis em 1537 e que o governador Tomé de Sousa entendia achar-se em terras lusitanas.

Por essas razões e em obediência a dom João III, Tomé de Sousa tomou a iniciativa de duas entradas com o objetivo de descobrir ouro no sertão. A primeira, de 1550, fracassou e, já no ano seguinte, veio uma segunda expedição. O governador mandou que uma galé, comandada por Miguel Henriques, adentrasse os rios, "na direção donde ficava o Peru".[126] Novo fracasso. Mas, apesar desses insucessos, Tomé de Sousa manteve as suas esperanças em carta ao rei: "O que daqui recolho e que, quando o Nosso Senhor aprouver de dar outro Peru a Vossa Alteza aqui." Expressando a convicção da proximidade do Peru, dizia ainda ao soberano que "esta terra e o perum (Peru) he toda humana".[127] Numa época em que as distâncias eram mal conhecidas e a grandeza do continente sequer podia ser imaginada, é fácil compreender a tendência do governador à simplificação que sustentasse sua crença. Se existiam minas do lado de lá, deveriam existir também do lado de cá. As minas encontradas na América do lado do Pacífico deveriam existir também do lado do Atlântico. E os lusos teimaram tanto em buscá-las que ao fim verificaram que as minas existiam mesmo... A persistência na busca era também um traço da época.

Não obstante todos os insucessos, manteve-se a procura de uma "lagoa dourada", que deveria estar pelos lados do rio São Francisco. Perto dessa lagoa maravilhosa deveriam estar as minas. Exemplo dessas persistentes tentativas no século XVI foi a famosa entrada de Sebastião Fernandes Tourinho, com cerca de quatrocentos companheiros. Sebastião era descendente de Pero de Campos Tourinho, o primeiro donatário de Ilhéus. Tendo subido o rio Doce, encontrou por volta de 1573 uma lagoa chamada pelo gentio de Boca do Mar. Segundo Diogo de Vasconcelos, Tourinho foi um dos primeiros sertanistas a percorrer partes do atual estado de Minas Gerais e a trazer "a certeza inabalável dos tesouros mineiros". Em sua procura, "colheu belíssimos exemplares de pedras azuis (...) colheu safiras, esmeraldas e cristais de primeira qualidade". Transpondo a serra, achou-se no Jequitinhonha, fez caminho ao litoral e voltou à Bahia.[128]

A lagoa que Tourinho encontrou era um equivalente de outras lagoas, reais ou imaginárias, que surgirão depois. Por exemplo, a do Vupabuçu, que no século seguinte Fernão Dias Paes Leme, "o caçador das esmeraldas", encontrou na mesma região. Ou, para referir-me ao Goiás de hoje, a lagoa de Paraupava, palavra indígena em que, segundo Sérgio Buarque, "se reúnem as ideias de 'mar' e de 'lago'". Quase sempre por iniciativa das autoridades coloniais, as expedições dessa fase inicial das entradas buscavam as cabeceiras do "grande rio", o São Francisco.[129]

Em 1574, o governador-geral Luís de Brito e Almeida, que governou de 1572 a 1578, mandou verificar os achados de Tourinho por meio de uma entrada confiada a Antônio Dias Adorno. A nova expedição juntou 150 portugueses, quatrocentos índios e dois jesuítas. Adorno tomou o rumo do Jequitinhonha e chegou ao Atlântico, mas no caminho mudou o objetivo de sua missão, transformando-a em caçadora de índios. Para esse fim, tomou o rumo do norte e de lá regressou à Bahia com 7 mil índios escravizados.[130]

Entradas dos jesuítas

A estratégia dos jesuítas, concentrada na evangelização, supunha também algumas bases materiais. Os primeiros colégios jesuítas contaram com apoio material da Coroa, mas entendiam que suas necessidades eram sempre maiores do que a ajuda recebida. Em cartas ao procurador da Companhia de Jesus em Lisboa, em inícios dos anos de 1560, Nóbrega argumentava em favor da criação de gado, como fonte de renda para os colégios. Incluía nesse argumento a produção de carne, couro, leite e queijo, bem como a produção de conservas de ananás e marmeladas, e ainda remessa de abóbora e açúcar, "que no Brasil é moeda corrente. A lenta, mas constante, penetração e o povoamento de dois séculos, obras de gigantes, são toda a história da formação territorial do Brasil e também da sua conquista espiritual para Cristo".[131]

Em 1570, quando faleceu, Nóbrega deixou consolidada a Companhia de Jesus, que fundara na Bahia vinte anos antes.

Seu legado incluía dois colégios em funcionamento, um na Bahia, outro no Rio de Janeiro. E um terceiro em instalação em Pernambuco. É ainda do seu período a criação de residências jesuíticas nas principais capitanias: Ilhéus, Porto Seguro, Espírito Santo, Guanabara e São Vicente (além de São Paulo, que era parte de São Vicente). A partir dessas bases iniciais, a Companhia continuou a expandir-se para todas as regiões do país.

Os missionários na colônia não ficaram inteiramente alheios aos movimentos de renovação católica que na mesma época ocorriam em Portugal e Espanha. Os estudos teológicos da Companhia de Jesus, segundo o *Ratio Studiorum*, só tomaram a forma de lei em 1599, embora fossem já conhecidos em seus primeiros esboços. Enquanto não foram promulgados em forma definitiva, o visitador Cristóvão de Gouveia mandou que no Colégio da Bahia se lesse a *Summa Theologica*, de Santo Tomás de Aquino, distribuída por quatro anos. Não há como subestimar a contribuição dos jesuítas para a formação da cultura brasileira. Segundo o barão do Rio Branco, "o Brasil deve às escolas fundadas pelos jesuítas quase todos os grandes nomes da sua história literária desde o século XVI ao século XVIII".

CAPÍTULO VI

Bandeirantes baianos e paulistas

"A geração mameluca surgiu primeiro em São Paulo e na Bahia", disse Basílio de Magalhães. A "geração mameluca" que ele menciona são os mestiços de branco e de índio que povoaram as vilas e suas vizinhanças nos primeiros séculos e que, com frequência, estiveram nas tropas, quando não na liderança, das bandeiras. A mestiçagem dos primeiros tempos se associou às muitas investidas para o interior que levaram à expansão territorial.[132] Esses mestiços de branco com índio constituíram no início da colônia uma parcela decisiva do povo brasileiro. Embora tenham sido superados, depois, pela participação dos mestiços de branco e negro, seus descendentes continuam, até hoje, como parcela significativa da população.

Quanto à participação das regiões na formação das bandeiras, a Bahia e São Paulo foram predominantes nos séculos XVI até fins do século XVII. Entende-se aqui Bahia e São Paulo, para fins meramente comparativos, como as regiões formadas pelos atuais estados com esses nomes e suas vizinhanças, eventualmente hoje pertencentes a outros estados. A Bahia incluía, nos inícios da colônia, suas vizinhanças no nordeste, como os atuais estados de Sergipe, Alagoas e áreas de Pernambuco. Ao sul, incluía áreas do norte de Minas Gerais até as proximidades do Espírito Santo. No mesmo período, São Paulo e São Vicente (província à qual na época pertencia) avançavam sobre o centro-oeste e o sul.

Desse modo, a região da Bahia deve ter sido ponto de partida de cerca de um quarto das bandeiras ocorridas na colônia desde o início do século XVI até fins do século XVII. No mesmo período, São Paulo deve ter contribuído com a metade dessas empreitadas. Essas proporções derivam de estimativas que tomam por base o levantamento de Francisco de Assis Carvalho Franco sobre os bandeirantes e sertanistas.[133] Esse extenso levantamento incluiu cerca de 1.200 nomes de pessoas em posição de liderança e chefia que, naqueles séculos, atravessaram o país de ponta a ponta. Não é, portanto, nem pretende ser, um levantamento que inclua as *tropas* das bandeiras, que envolviam brancos, índios e mestiços, chegando a muitos milhares de participantes no total da colônia. O levantamento de Carvalho Franco é um levantamento de bandeirantes e sertanistas. Assim, serve a uma *distribuição regional de líderes e de chefias*. Portanto, é apenas como indicação que aqui pode servir a uma estimativa de uma *distribuição regional das bandeiras*.

Admitindo esses critérios, podemos acompanhar Basílio de Magalhães quando afirmou que as duas regiões predominantes no bandeirismo foram a Bahia e São Paulo. A Bahia predominante no primeiro século, São Paulo no segundo. Mas essa descrição sumária não deve, mesmo com as ressalvas anteriores, obscurecer a participação de outras áreas da colônia. Houve bandeiras e entradas, em diferentes momentos, em todo o Brasil. Ocorreram também a partir do Rio de Janeiro, de Pernambuco, do Maranhão e do Pará, entre outras regiões do país. Há que assinalar, desde logo, que as regiões dos atuais estados do Paraná, Minas Gerais, Goiás, Mato Grosso, Rio Grande do Sul e Amazonas nasceram das bandeiras. Daí que se torna ainda mais difícil estimar sua participação neste estudo limitado aos séculos XVI e XVII.

As bandeiras da Bahia e o mito de Sabarabuçu

Pedro Calmon disse que o primeiro bandeirante da Bahia foi Garcia d'Ávila. De fato, esse potentado teve uma grande participação na conquista da Bahia e do nordeste, ocupando vastas regiões com a criação de gado. Mas há registro, antes da chegada de Tomé de Sousa, de uma entrada de Philipe de Guillen (1487-1571), a quem se atribui também parte da difusão do mito de Sabarabuçu, a "serra resplandecente". Guillen era um judeu espanhol nascido em Sevilha que, como matemático, desenvolveu estudos sobre a bússola para a Coroa portuguesa. Isso não impediu que em 1534 fosse desterrado para a Bahia. Chegou na mesma viagem em que o capitão Pero de Campos Tourinho, acompanhado de cerca de setecentas pessoas, veio para tomar posse de Porto Seguro. Em relato desses anos, Guillen descreveu uma entrada que chefiou rumo às cabeceiras do São Francisco, e informou também que na Bahia muitos estavam à cata de esmeraldas. "Entravam pela terra adentro e andavam lá cinco e seis meses."[134]

Segundo Carvalho Franco, a difusão do mito da mina de Sabarabuçu ocorreu "não somente no Brasil como no próprio reino, de onde vieram muitos colonos com mira de descobri-la". Em carta de Guillen ao rei em julho de 1550, consta o trecho seguinte: "Sucedeu agora, que este março passado, vieram a Porto Seguro índios dos que vivem junto de um grande rio, além do qual dizem que está uma serra junto dele que resplandece muito e que é muito amarela, da qual serra vão ter ao dito rio pedras da mesma cor."[135]

A partir de Tomé de Sousa firmou-se na colônia a convicção de que a "lagoa dourada" deveria estar para os lados do São Francisco. O "grande rio" que menciona Guillen devia ser o São Francisco. Nessa direção partiu a expedição do espanhol Francisco Bruza de Espiñosa y Megero que, segundo o padre Serafim Leite, foi um primeiro exemplo de participação dos jesuítas nas bandeiras. "Não já como entrada de reconhecimento missionário, mas com fim expresso de descobrir ouro por ordem de dom João III, se apresenta a (entrada) de que se tratou na Bahia em 1551, pedindo o governador Tomé de Sousa ao superior da Companhia um padre para ir nela. Nóbrega prometeu-lhe e foi o padre João de Azpilcueta Navarro."[136] Em 1553-54, Bruza de Espiñosa, que vinha do Peru e residia em Porto Seguro, foi acompanhado pelo padre.

A descrição do padre Azpilcueta dá uma ideia das dificuldades que enfrentaram ao adentrarem "aqueles sertões ainda virgens, intratáveis a pés portugueses, dificultosíssimos de penetrar sendo necessário abrir caminho à força de braços, tendo que atravessar inúmeras lagoas e rios, caminhar sempre a pé e pela maior parte sempre descalços os montes fragrosíssimos os matos espessíssimos, que chegavam a impedir-lhes o dia". "Entre esses trabalhos muitos desfaleciam, muitos perdiam a vida."[137] Essa expedição realizou um percurso de 2.300 quilômetros. Foi a primeira que devassou o território das Minas Gerais e atingiu o rio São Francisco.

Nesses anos, aumentou o número de entradas, a maioria delas, porém, sem resultados. Em 1560, Vasco Rodrigues Caldas, fidalgo português, ofereceu-se a Mem de Sá para penetrar os sertões em busca de minas, no sul do atual estado de Minas Gerais, com 100 companheiros, à custa própria, a troco das mesmas mercês concedidas a Espiñosa por Tomé de Sousa. Foi atacado pelos índios tupinaés e teve de regressar à Bahia. Em 1567, Martim de Carvalho saiu de Porto Seguro, subiu o Jequitinhonha e descobriu areias auríferas em Minas-Novas. Segundo Pedro Calmon, essa bandeira atingiu "provavelmente a famosa Sabarabussu dos desbravadores do século XVII".[138] Martim Carvalho foi colono em Pernambuco e segundo Calmon era "intrépido guerreiro e capitão desassustado".[139] Martim de Carvalho foi provedor da Fazenda Real em 1572 e em 1583 acompanhou na conquista da Paraíba a expedição de Diogo Flores de Valdés.

Naqueles anos, pode-se admitir que, pelo menos entre os capitães, deviam ser bem poucos os assustados, se é que havia algum. Mas a verdade é que, mesmo com todos os sertanistas muito corajosos, nenhuma daquelas primeiras tentativas deu resultados satisfatórios. As indicações sobre a "lagoa dourada" só muito mais tarde vieram a aproximar-se da realidade. Meio século depois de Tomé de Sousa, a Câmara de São Paulo ainda insistia na busca de um caminho para o Peru, em carta ao rei: "As cinco vilas (da capitania de São Vicente) podem pôr em campo contra o carijó mais de trezentos portugueses não se contando os seus índios escravos que serão mais de mil e quinhentos e que passam ao Peru por terra com um bom caudilho, e isso não é fábula".[140] Os sucessivos fracassos, ao que parece, não eram de molde a causar profundos desânimos.

A Coroa contra os índios

Mem de Sá, governador-geral entre 1558 e 1572, foi considerado amigo e protetor dos jesuítas, mas nem por isso deixou de combater os índios que os padres defendiam. Ordenou várias expedições contra os nativos de Itaparica, do rio Paraguaçu e do Espírito Santo. Comandou pessoalmente um pequeno exército de mamelucos em guerra contra os carijós, tupinaés e tupiniquins, na qual combateu durante seis anos as aldeias de Anhembi, às margens do rio Tietê. Segundo os jesuítas espanhóis, essas eram em número de 300 e contavam cerca de 30 mil habitantes. Os vencidos foram arrastados para a escravidão nos engenhos e nas lavouras da capitania de São Vicente.

Mem de Sá, embora homenageado em longo poema escrito pelo padre José de Anchieta, era um poderoso escravista. Foi proprietário de dois grandes engenhos, onde trabalhavam centenas de escravos. Em um desses engenhos, em Ilhéus, havia 95 índios e 84 índias, além de 18 africanos e duas africanas. No outro, em uma ilha do rio Sergipe, havia 250 escravos.

Não foi Mem de Sá o único dentre os governadores daqueles anos a dar combate aos indígenas. Antônio Salema, que, em 1573, estava no governo do Rio de Janeiro, encarregou Christovam de Barros de uma leva contra os tamoios, que foi considerada uma "verdadeira *razzia*". Em 1574, Christovam de Barros foi apoiado por Jerônimo Leitão, capitão-mor de São Vicente, em uma expedição com quatrocentos brancos e setecentos índios, que reduziu a cativeiro "oito ou dez mil almas".[141]

Já às vésperas da União Ibérica, o problema indígena tomou vulto na Bahia e nas capitanias mais próximas. Ainda em 1574, por ordem da Coroa, Luís de Brito e Almeida, o primeiro governador das capitanias do Norte (1572-76) e depois governador-geral (1577), se dedicou a expulsar os índios do vale do rio Real, para impedir que continuassem a negociar com os franceses, que apesar de já expulsos do Rio de Janeiro ainda assediavam o litoral do Brasil. O propósito da expedição era fundar na margem norte daquele rio uma aldeia, da qual Garcia d'Ávila ficaria encarregado. Como a expedição fracassou, o próprio governador foi em expedição no ano seguinte, com o objetivo de descobrir ouro. Também sem resultados, conseguiu, porém, desbaratar as tribos, atingindo mais de 1.200 índios. Desses, muitos morreram e outros fugiram. Outros ainda foram agrilhoados e conduzidos para a Bahia. A mortandade dessa expedição gerou atritos e esfriou as relações do governador e de Garcia d'Ávila com os jesuítas.[142]

Em 1575, o sertanista baiano Luís Álvares Espinha, filho do capitão-mor de Ilhéus, Henrique Luís de Espinha, fez uma entrada de 200 quilômetros de Ilhéus para oeste e "desceu", na expressão de um cronista, "infinito gentio". O historiador Teodoro Sampaio calculou que, entre 1577 e 1583, mais de 20 mil índios "desceram" escravizados do sertão de Orobó.[143] Segundo Anchieta, somente na Bahia daqueles anos havia mais de 40 mil índios cristianizados, o que significa que foram arrebatados, ou atraídos, para aldeias próximas ao Recôncavo. Desse número, muitos morreram em razão de enfermidades e outros fugiram, internando-se nos matos.

Todos esses números são imprecisos já que não havia estatísticas, apoiando-se as estimativas apenas no olhar impressionista dos observadores e cronistas. Mas servem, sem dúvida, para indicar ordens de grandeza para uma avaliação do fenômeno. Calcula-se que até 1641, quando o bandeirantismo de aprisionamento entrou em declínio, 300 mil índios foram escravizados.

Entre 1573 e 1578 saiu de Pernambuco uma expedição comandada por Francisco de Caldas, que entrou muitas léguas pelo sertão do rio São Francisco numa desastrosa expedição de resgate, falecendo o bandeirante na ocasião. Ainda de Pernambuco, nesses mesmos anos uma expedição rumou para o São Francisco chefiada pelo capitão Francisco Barbosa da Silva, por mandado do governador-geral Lourenço da Veiga, à caça de índios bravos.[144]

Vínculos comuns

Um aspecto interessante das entradas anteriores à União Ibérica está em que, em diversos casos, se ligam umas às outras. Como vimos, a entrada de Vasco Rodrigues Caldas se ligava à anterior de Espiñosa. Caldas era português, fidalgo, chegara à Bahia com a armada de Tomé de Sousa, tinha experiência em campanhas contra os nativos e era pessoa da confiança de Mem de Sá. Em 1562 serviu como vereador na Bahia. Por sua vez, a bandeira de Sebastião Fernandes Tourinho, de 1572 (ou 1573), entre o rio Doce e o Jequitinhonha, deu-se em sequência à de Martim Carvalho. E suas descobertas levaram Luís de Brito e Almeida, governador do norte do Brasil, a confiar uma entrada verificadora a Antônio Dias Adorno, que levou dois jesuítas em sua expedição. Mas parece que Adorno se desviou do seu objetivo, que eram as minas, pois regressou para o litoral com 7 mil índios cativos.

Depois de Adorno, ocorreu a expedição de Bastião Álvares, que de Porto Seguro foi mandado a explorar o rio São Francisco, nisso consumindo quatro anos. E a de João Coelho de Sousa, também afeito a caçar índios, que penetrou mais de 660 quilômetros além de um sumidouro, "que provavelmente é a cachoeira de Paulo Affonso".[145] Essa prática do encadeamento das entradas permite entender melhor como as do Espírito Santo deram sequência às da Bahia, seguindo muitas delas os roteiros baianos de Tourinho e Adorno.[146]

Assim como as entradas ligavam-se umas às outras, também se ligavam entre si os bandeirantes que as realizavam. Nesse sentido, não são exceções as vinculações, já mencionadas, entre Christovam de Barros, da Bahia, e Jerônimo Leitão, de São Paulo. Segundo Sérgio Buarque de Holanda, "há indícios no fato de espírito-santenses como os irmãos Melo Coutinho (...) figurarem mais tarde nas levas paulistas de Manuel Preto e Raposo Tavares que assaltarão as reduções do Guaíra. Os nomes daqueles irmãos e em particular o de Fradique de Melo aparecerão mesmo unidos (...) aos homens de São Paulo na documentação jesuítica do Paraguai". Ao que parece, as intenções que aproximavam dos paulistas os espírito-santenses assemelhavam-se às do mameluco baiano Antônio Adorno, "que eram de peças, não de pedras".[147]

Em 1596, Diogo Martins Cão, conhecido como "o matador de negros", partiu da serra dos Aimorés e recebeu o apoio de Antônio Proença, de São Paulo, outro caçador de índios, numa empreitada a mando do governo de Francisco de Souza. Nessa empresa deixaram a caça ao índio e tentaram encontrar minas, sem êxito.

Jesuítas: cooperação e conflito

Nessas expedições, quase sempre de iniciativa oficial, começou também a cooperação (e os eventuais atritos) dos conquistadores com os missionários, em especial com os jesuítas. Os inacianos não se recusavam a cooperar com os sertanistas, embora tivessem um registro de críticas, desde as primeiras cartas, de meados do século XVI, do padre Manuel da Nóbrega. Desde o início, criticaram os "saltos" por meio dos quais barcos portugueses, que se afirmavam "cristãos", atraíam índios nas costas litorâneas da Bahia para aprisioná-los e escravizá-los.

Na cooperação com os sertanistas, os jesuítas realizaram feitos notáveis. Como já se observou, eles foram também colonizadores, embora a seu modo. Por volta de 1550, eles desbravaram a região dos carijós no sul, em especial por ações do padre Leonardo Nunes, o Abaré-bebé, que foi a pé de São Vicente a Paranaguá. A pacificação da "confederação dos tamoios", que chegou a pôr em perigo a dominação lusa na região sul, em 1556 e 1557 contou com a cooperação direta de Nóbrega e Anchieta.[148]

Nessa fase, até 1580, é preciso registrar também a presença dos corsários. Além dos franceses, desde o início muito frequentes na exploração do pau-brasil, e dos ingleses, que começavam a chegar, a Coroa e seus representantes se preocupavam também com os castelhanos. Não apenas os administradores lusos supunham que o Peru estava próximo, mas também se davam conta de que os espanhóis se aproximavam cada vez mais, buscando caminhos próprios para o Atlântico. Com Domingos Yrala sendo governador do Paraguai, os espanhóis buscaram avançar as fronteiras para absorver a região de Guaíra, nas margens do rio Paraná. Rui Dias Melgarejo, a mando de Yrala, fundou Ciudad Real (1551) e Garcia Rodrigues de Vergara fundou a vila de Ontiveros, também sobre o Paraná (1554). Os espanhóis fundaram ainda Vila Rica (1557), sobre o rio Ivaí. "A Yrala (...) não podiam passar despercebidas as reivindicações territoriais dos portugueses, que alcançavam a mesma cidade de Assunção."[149] Guaíra era uma região ampla e veio a ser considerada como domínio jesuítico. A parte de Guaíra que ficou para o Brasil corresponderia hoje ao estado do Paraná.[150]

Já antes da União Ibérica, os portugueses viam a proximidade castelhana como ameaçadora e buscaram estimular movimentos em sentido contrário. Em 1561, José de Anchieta visitou o curso superior do Tietê e, em 1562, João Ramalho visitou o rio Paraíba.[151] Ainda em 1562, por ordem de Mem de Sá, os sertanistas Brás Cubas e Luís Martins buscaram ouro no estado de São Paulo, o primeiro em Apiaí, no vale da Ribeira, e o segundo, na região do Jaraguá e em Caatiba.[152] Em 1574, segundo Sérgio Buarque de Holanda, um certo Domingos Garrucho, morador de São Vicente, recebeu patente de "mestre de campo do descobrimento da lagoa do Ouro". Já em 1576, Hernando de Montalvo, tesoureiro régio, denunciava a Filipe II as tropelias dos "portugueses de San Pablo". Mas, na realidade, tais movimentos dos "portugueses de San Pablo" só viriam a ganhar relevo depois de 1580. Em 1585 ou 1586, Jerônimo Leitão atingiu Paranaguá à testa de grande bandeira.

Segundo Basílio de Magalhães, "a ilusão da existência, no Brasil, de novos Potosis durou cerca de século e meio, de meados do XVI até fins do XVII."[153] Entre 1570 e 1584, há registro de uma leva comandada por Heliodoro Eobanos, organizada no Rio de Janeiro, visando a submeter os índios carijós. Na passagem para a União Ibérica essa bandeira abriu caminho para o descobrimento do ouro de lavagem do Iguape, de Paranaguá e de Curitiba e deu início a uma nova época da conquista. As frequentes investidas dos corsários europeus aumentaram de intensidade no período da União Ibérica, quando a colônia lusa atraiu os adversários da Espanha, além dos adversários de Portugal.

Embora tenha permanecido a ilusão da proximidade de Potosí, o polo das entradas foi, aos poucos, deslocando-se cada vez mais dos lados do rio São Francisco para os de São Paulo. A possibilidade de se acharem a partir de São Paulo as mesmas riquezas que tinham sido procuradas a partir de Porto Seguro, do Espírito Santo e da Bahia ficara demonstrada, aliás, desde as primeiras experiências de Brás Cubas em Santos.[154] Mas essas buscas a partir do novo polo ganharam maior intensidade com a União Ibérica. *"Que la villa de San Pablo y otras circunvecinas hechen cuatro o cinco compañías de quatrocentos y quinientos hombres mosqueteros con cuatro mil y más índios flecheros, marchar con mucho orden de guerra, en que están muy ejercitados: y tanto en andar a pie y descalzos, que, como pudieran andar por las calles de esta Corte, caminan por aquellas tierras, montes y valles, sin estorbo, trescientas y cuatrocientas leguas."*[155]

Casa da Torre e Casa da Ponte

No período anterior a 1580, começava com Tomé de Sousa um padrão de ocupação da terra com a pecuária, em grandes extensões, que se tornou peculiar ao nordeste da colônia. Em 1549 e 1550, Garcia d'Ávila construiu, ao norte de Salvador, a Torre de São Pedro de Rates, que veio a chamar-se Casa da Torre. Depois de combates às tribos vizinhas de tupinambás, muitos dos quais foram submetidos à escravidão, Garcia d'Avila recebeu uma sesmaria e expandiu sua recém-iniciada criação de gado vacum com exemplares importados de Cabo Verde. Ainda em seus começos como potentado, Garcia comprou (há quem diga que herdou) de Tomé de Sousa algumas léguas de uma sesmaria que dom Sebastião outorgara ao governador. A partir da posição firmada na Casa da Torre, ao norte de Salvador, a família Garcia d'Ávila estabeleceu domínio sobre vasto território do nordeste do país. Como disse Moniz Bandeira: "diferentemente dos bandeirantes, que a partir de São Paulo talaram o *hinterland* do Brasil, a Casa da Torre estabeleceu o domínio sobre vasto território, ao longo de três séculos, como se um feudo fosse."[156]

Desde Tomé de Sousa até Mem de Sá, Garcia d'Ávila tornou-se um dos homens mais poderosos da Bahia. Manteve sempre boas relações com os governadores e foi ainda apoiado "pela catequese que os jesuítas faziam, a organizarem aldeias". Desde então, a riqueza da família só fez crescer. Segundo Moniz Bandeira, as sucessivas gerações dos senhores da Casa da Torre "detiveram o domínio econômico, político e militar sobre uma extensão territorial (que se) estendia por mais de quatrocentas léguas, isto é, por mais de 2.640 quilômetros, da Bahia à divisa do Piauí com o Maranhão".[157]

Começou no nordeste com a Casa da Torre um padrão de ocupação da terra com base em grandes propriedades, com extensões muito maiores do que as que se estabeleciam ao mesmo tempo no sudeste do país.

A Casa da Ponte, de Antônio Guedes de Brito, fundada em uma sesmaria situada entre as cabeceiras do rio Jacuípe e Itapicuru, teve também papel fundamental no povoamento do sertão do São Francisco. O primeiro da família vindo ao Brasil foi Antônio Guedes (1560-1621), tabelião na Bahia, que deixou descendência de seu segundo casamento com Felipa de Brito, unindo-se a partir de então os dois sobrenomes. Nas grandes sesmarias que as Casas da Torre e da Ponte passaram a exemplificar, a pecuária se expandiu rapidamente pelo costume de arrendamento praticado por seus proprietários, bem como pela concessão de parte das crias aos vaqueiros. Segundo Caio Prado Jr., contribuiu para a multiplicação das fazendas da região o sistema de pagar o vaqueiro com um quarto das crias. Como esse pagamento só se efetuava decorridos cinco anos, acumulavam-se as quotas e o vaqueiro recebia assim, de uma só vez, um grande número de cabeças, que lhe bastavam para estabelecer-se por conta própria.[158]

De acordo com alguns historiadores de Minas Gerais, o norte de Minas foi ocupado a partir de fins do século XVII pelos vaqueiros da Bahia e de Pernambuco, que seguiram o curso do rio (São Francisco), e pelos bandeirantes paulistas, que, movendo guerra ao gentio, fundaram povoados e se estabeleceram como grandes criadores. Não por acaso, o rio São Francisco, importante meio de comunicação entre o nordeste e o centro sul do país, já foi denominado rio dos Currais. Mas, para alguns historiadores, esse povoamento do norte de Minas antecede em muitas décadas à chegada dos paulistas, que, vindos de Taubaté, atravessavam a Mantiqueira. "Cinquenta anos antes da descoberta das minas de ouro, o porto de Matias Cardoso (...) perto da fronteira com a Bahia, já estava consolidado como entreposto comercial e abastecia Salvador."[159]

Bandeiras ou entradas?

As bandeiras e entradas foram um fenômeno geral na expansão da colônia dos primeiros séculos, chegando a abranger todo o território que depois se tornou nacional. Não faltaram nessa grande expansão referências às lagoas e aos rios que a impulsionaram, como seria próprio da mitologia da "lagoa dourada", que se deslocava na geografia imaginária do tempo.

Pedro Calmon tentou uma identificação dos "rios nacionalizadores" segundo seu papel na expansão territorial. Seriam "o São Francisco (o rio emboaba do povoamento do Nordeste e de Minas), o Tietê (o rio paulista da incorporação de Mato Grosso), o Amazonas (o rio português do balizamento setentrional)".[160] A esses três, haveria que acrescentar o rio Paraná, referência obrigatória para as marchas dos bandeirantes ao sul. O conjunto desses quatro rios, tendo a oriente o Atlântico, pode sugerir em termos espaciais a imagem do caráter geral, finalmente nacional, das entradas e das bandeiras. Mas, como tudo na conquista, também esses grandes rios vão aparecendo nessa história aos poucos, pedaço a pedaço.

Na historiografia do período, a ideia de que as bandeiras fossem paulistas provocou entusiasmo entre intelectuais do período da República Velha, em especial, embora não exclusivamente, entre intelectuais paulistas. Na verdade, essa ideia alcançou tal difusão nacional que acabou se impondo como uma espécie de senso comum naquele período.

Alguns anos depois da República Velha, mas ainda com sobras da atmosfera daquela época, Getúlio Vargas dirigiu discurso a um público de São Paulo, em que qualificou as bandeiras como as "primeiras expedições nacionais". Corria o ano de 1939 e Vargas fazia uma das suas muitas exortações nacionalistas do período ditatorial. É preciso lembrar ainda que o então ditador se dirigia a um público que deveria incluir muitos dos paulistas derrotados na série de vitórias getulianas de após 1930, sobretudo nos acontecimentos de 1932 e de 1937. Vargas poderia então ter algumas razões para assoprar as feridas de velhos adversários. Por uma razão ou por outra, foi então que disse: *com as bandeiras o Brasil "começou a existir".* E, a seguir, exortou os *"modernos bandeirantes de São Paulo a tomar seu lugar na 'nova cruzada da expansão nacional'".*[161]

Vargas tinha razão ao afirmar que o Brasil começara a existir com as bandeiras, sempre que se entenda que essas ocorreram em muitas regiões do país, não apenas em São Paulo. Mas apenas cedia à atmosfera ideológica da época ao mencionar apenas os bandeirantes paulistas. Na verdade, o Brasil começou a existir com as bandeiras e com as entradas, as quais passaram a existir desde o século XVI com traços muito semelhantes aos que terão no século XVII e inícios do XVIII, quando alcançarão todo o Brasil.

Segundo Cassiano Ricardo, a palavra "bandeira" é de origem castelhana, do francês antigo *bannière* que, por sua vez, vem do latim *bandum*. A expressão passou a ser usada pelos historiadores e cronistas apenas no século XVIII, quando se tornou de uso mais comum para mencionar as entradas do século XVII.[162] Para Cassiano Ricardo, que, como Affonso Taunay e Alfredo Ellis Jr., se concentra nas "bandeiras paulistas", essa palavra é um espanholismo. O que se compreende tendo em conta os frequentes contatos de São Vicente e São Paulo com o Paraguai e o Peru, desde o primeiro século. A propósito, assinale-se que, no século XVI, tais contatos, sobretudo com o Peru, existiram também na Bahia. Mas é certo que as vilas de São Vicente e de São Paulo se tornaram conhecidas na colônia por uma significativa presença de espanhóis em sua população.[163] É o que explica a tentativa, aliás, fracassada, da aclamação de Amador Bueno da Ribeira como rei em São Paulo, na conjuntura de 1640-41, quando terminou a União Ibérica e alguns colonos quiseram recusar a escolha portuguesa de dom João IV. Mencione-se ainda que na União Ibérica o uso de espanholismos foi frequente na colônia em geral, como também em Portugal.

Bandeiras e entradas foram bandos armados, dotados de uma hierarquia de tipo militar, com ligações, próximas ou distantes, com as autoridades coloniais, tendo brancos europeus, mas também muitos mamelucos, na direção e no comando. Na tropa, tinham ampla participação os índios, sem os quais, de resto, não poderiam existir. Quando se fala de índios participantes, trata-se, evidentemente, de "índios amigos". Bandeiras e entradas visavam a pesquisar e explorar minas, bem como combater e apresar índios, nesse caso, evidentemente, os "inimigos". Embora não se possam ignorar as objeções críticas de algumas ordens religiosas, em especial os jesuítas, as entradas e bandeiras tiveram, em muitos casos, a participação de sacerdotes.

As expedições dos séculos XVI e XVII realizaram no território da colônia algo de semelhante ao *exorcismo* que Sérgio Buarque de Holanda atribuiu às investidas lusas no litoral da África, do século XV. Aqui como lá, o território desconhecido estava povoado não apenas por índios, mas também por mitos, fantasmas e lendas sobre figuras estranhas e monstruosas. Desse modo, como já se disse, ao avançar sobre a terra desconhecida, os lusos aumentavam o acervo do saber "de experiências feito" e faziam minguar o amplo território das lendas. Como disse Sanceau, com a conquista a geografia roubava pedaços à mitologia. As expedições conquistavam para o plano do conhecimento e da ação humana uma realidade que, antes, se transfigurava no reino do sonho e da fantasia, dos devaneios dos papas e das dominantes ambições dos monarcas.

CAPÍTULO VII Minas, mitos e pessoas

A inauguração da União Ibérica, que se chamou também União das Coroas, mudou a partir de 1580 o regime político das metrópoles. Embora não tenha sido um tempo tão curto que se possa esquecer facilmente, pois durou cerca de oitenta anos, a União Ibérica foi uma mudança temporária. Mas poucas mudanças administrativas e políticas nas relações entre Portugal e Espanha foram tão significativas na história da conquista do que esta curiosa aliança entre os dois países, na qual, de fato, a Coroa portuguesa se submeteu à Coroa espanhola.

Filipe, de Espanha, tinha laços com a família real portuguesa. Sua irmã era a mãe do jovem rei dom Sebastião. Nos incidentes que se sucederam depois do desaparecimento de dom Sebastião em Alcácer-Quibir em 1578, Filipe invocou suas razões de parentesco e acabou por conquistar o apoio da maioria do clero e dos nobres lusos, dando fim à dinastia de Avis. Filipe foi o escolhido da nobreza lusa nas cortes de Almeirim contra o prior do Crato, sobrinho do cardeal dom Henrique, regente em Portugal desde a morte de dom Sebastião. O soberano espanhol não tinha qualquer dúvida sobre o que queria. "Porque sou sucessor direto e legítimo aos domínios de Portugal, estou decidido a tomar possessão deles." Sua vitória nos conflitos militares com seguidores do prior do Crato custou-lhe um acordo que garantiu a autonomia administrativa da nobreza lusa em Portugal e suas colônias.[164] A partir de então, Portugal, uma das monarquias mais antigas da Europa, ficou quase um século como a figura estranha de um país monárquico governado por um rei de outro país.

A Espanha era ainda uma grande potência, hostilizada por vários países que, segundo as praxes da política internacional da época, intensificaram os ataques às colônias espanholas na América, como em outras partes do mundo. Daí que o período da União Ibérica foi também o de maior intensidade dos ataques corsários franceses, holandeses e ingleses na colônia portuguesa. Afinal, naquele tempo a colônia de Portugal se tornara apenas uma região agregada à Espanha. Como não podia deixar de ser, esses ataques dos corsários suscitaram respostas que vieram por meio de um aumento das iniciativas luso-espanholas de conquista e posse do território americano.

Parte dessas respostas luso-espanholas aos corsários europeus ocorreram na faixa litorânea do nordeste e do norte do Brasil, desde Sergipe até Belém do Pará. Além disso, visando a um maior controle do território, a metrópole, agora situada em Madri, tomou a iniciativa de novas divisões administrativas da colônia. A exemplo do que a Coroa lusa já havia experimentado nos anos de 1572 a 1578, a União

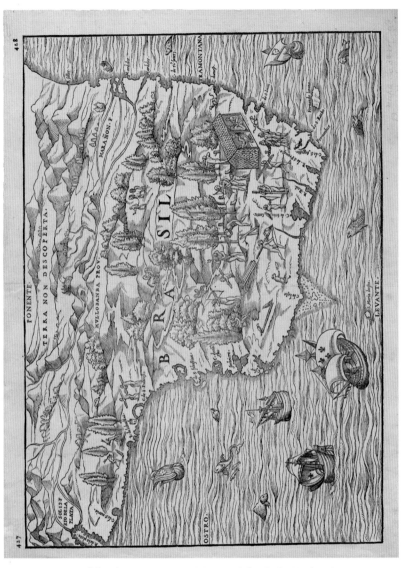

Mapa publicado em Veneza, 1556, no *Atlas Delle Navigazione e Viaggi* de Giovanni Battista Ramusio.

Mapa de Petrus Bertius, c. 1616

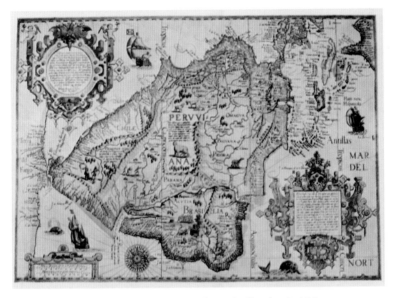

Carta de Arnoldus Fiorentinus, do fim do séc XVI.

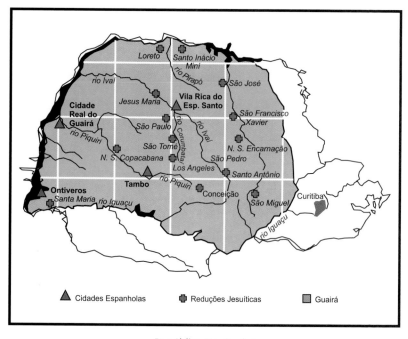

Cidades Espanholas   Reduções Jesuíticas   Guairá

República Do Guairá
Inspirado na fonte: Republica Del Guayra. Jpgfthumb/180px.
Wikimedia Commons, Wikimedia Foundation.

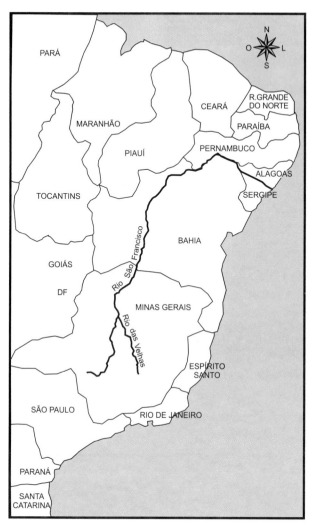

Mapa do Rio São Francisco e do Rio das Velhas.
Inspirado na fonte: COELHO, Marco Antonio Tavares,
Rio das Velhas – Memórias e desafios, Editora Paz e Terra:
São Paulo, 2002.

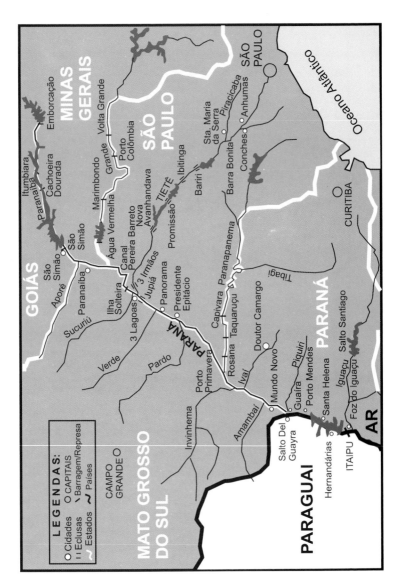

Bacia Tietê - Paraná

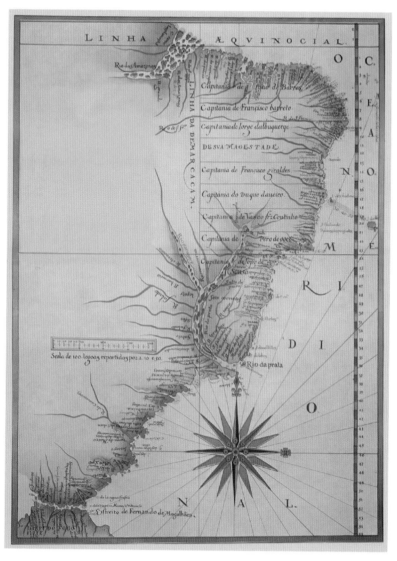

Capitanias Hereditárias, mapa desenhado por Luiz Teixeira, em 1574.

Mapa das bandeiras de procura do ouro e de caça aos índios.
Inspirado na fonte: GÓES FILHO, Synesio Sampaio,
Navegantes, bandeirantes, diplomatas,
Editora Martins Fontes: São Paulo, 1999.

Ibérica criou, de 1608 a 1612, uma divisão da administração colonial entre o governo do Norte, com sede na Bahia, e o do Sul, com sede no Rio de Janeiro. Mais adiante, em 1621, viria a autonomização da capitania do Maranhão e do Grão-Pará, transformada em Estado. Essa nova divisão administrativa dividiu a colônia em Estado do Brasil e Estado do Grão-Pará, e durou até 1760. Durou, portanto, além da União Ibérica. A restauração da independência portuguesa veio em 1640, dando início ao reinado de dom João IV, que fundou a dinastia dos Bragança.

As alterações na cúpula do poder das metrópoles ibéricas introduziram, por certo, mudanças na administração colonial e deram maior intensidade às iniciativas de conquista, mas não afetaram os traços característicos dessas empreitadas de expansão territorial. Essas empreitadas mudaram de escala, que se ampliou, mas, descontadas as diferenças de designação, permaneceram semelhantes em quase tudo. À margem das mudanças político-administrativas que afetavam a vida nas metrópoles, os mitos e as lendas que vinham impulsionando as entradas e as bandeiras continuaram na colônia o seu misterioso trabalho. Como no período anterior à União Ibérica, continuaram excitando o apetite de poder e a imaginação dos conquistadores em frenéticas avançadas para o interior que haveriam de resultar na tomada de posse do território que conhecemos hoje.

Francisco de Sousa, um "eldorado-maníaco"

Nesses primeiros tempos da história do Brasil, quase tudo parece ligar-se a pessoas. Impossível falar da conquista sem mencionar pessoas com uma frequência além do habitual em estudos históricos. Mais do que instituições, são as pessoas os maiores protagonistas dessa história. Não por acaso os estudiosos das genealogias familiais são fonte tão valiosa para o conhecimento dos primeiros séculos da colônia. Em vez das instituições — que, quando existiam, tinham pouca eficácia — quase tudo são referências a pessoas ou a relações entre pessoas.

É assim que, na passagem para a União Ibérica, alguns administradores e conquistadores merecem notas à parte em biografias que tornam evidente a permanente obsessão ibérica pelo ouro e pela prata. Seus nomes se ligam aos mitos e aos eventos mais importantes da colônia brasileira. Comecemos por Francisco de Sousa (1540-1611), um dos nomes mais importantes do período e também um dos notáveis casos de fracasso entre os muitos daquela época.

Segundo Taunay, dom Francisco de Sousa pertencia "à grande raça dos eldorado-maníacos tão largamente representada em sua centúria pelos Cortéz, Pizarro, Balboa, Valdivia, Orellana, Raleigh e tantos mais". Era filho de Pedro de Sousa, conde do Prado, da família de Martim Afonso e Tomé de Sousa. Assim como Tomé de Sousa, seu parente, dom Francisco também foi governador-geral em 1591. Depois, em 1608, foi nomeado administrador-geral da Repartição do Sul, constituída pelas capitanias do Rio de Janeiro, de São Paulo e do Espírito Santo. A Repartição do Sul separava essas capitanias do restante da colônia e gozava de uma jurisdição independente que só respondia perante o rei. Em 1609, dom Francisco estava em São Paulo, onde "fez laborar as minas todas de ouro de lavagem", assim como uma fundição de ferro.[165] Foi ele o primeiro marquês de Minas, título que, porém, só veio a ser usado por seu neto. É que o título lhe foi prometido em razão das esperanças nas minas, que, porém, segundo as avaliações da Coroa, fracassaram.

O deslocamento operado por dom Francisco do eixo das entradas para o sudeste não significou maior realismo das perspectivas que as inspiravam. Na verdade, muitas das iniciativas do seu período e dos períodos posteriores permaneceram aferradas ao mito da "lagoa dourada". Em 1595, dom Francisco enviou para os rumos do São Francisco o nobre português João Pereira de Sousa Botafogo, capitão-mor de São Vicente. Substituiu-o, porém, logo depois, por Domingos Rodrigues, que em sua marcha chegou a Paraupava (hoje Goiás). No mesmo rumo, em busca da serra das Esmeraldas, enviou em 1596 Diogo Martins Cão, conhecido como "o matador de negros", que foi auxiliado na empreitada pelo paulista Antônio de Proença. Essas tentativas, em dois anos de procura, não descobriram riqueza alguma. Em 1597, Francisco de Sousa enviou ainda ao sertão Martim Correia de Sá, filho do governador do Rio de Janeiro, Salvador Correia de Sá, "o Velho", contra os tamoios, a exemplo do que fizera Salema em 1572. A expedição, que contava com setecentos portugueses e 2 mil índios, entrou por Parati, chegou a Pindamonhangaba e daí regressou ao Rio de Janeiro. Apreenderam muitos índios, mas não encontraram ouro algum.

No Espírito Santo, onde Cão e Proença fracassaram, teve êxito, pelo menos aparente, Marcos de Azeredo. Em 1611, Azeredo levou ao soberano "as pedras descobertas reconhecidas pelos lapidários do reino como esmeraldas, mas, não lhe sendo pago prêmio pecuniário prometido, morreu sem transmitir a ninguém indicações precisas sobre a jazida".[166] Alguns autores, porém, mencionam que, de fato, não eram esmeraldas, mas turmalinas verdes.[167] O que talvez explique

que o sonho das esmeraldas continue no século XVII nas buscas dos filhos e parentes de Azeredo. E, depois, na odisseia da Fernão Dias Paes Leme.

Ao que se sabe, Francisco de Sousa pouco se beneficiou materialmente dos muitos títulos que recebeu e cargos que exerceu. Nobre de família de grande prestígio, ele foi almirante da armada que levou o rei dom Sebastião à África, de que era general dom Diogo de Souza, seu tio. Talvez em razão do prestígio de sua família, seu filho, Luís de Souza, foi seu sucessor no governo geral. Mas parece não haver dúvida de que morreu pobre, não obstante todo o renome de sua família e os sonhos que depositou na descoberta das minas. Disse um dos seus biógrafos: "como o efeito não correspondeu à esperança, não teve o título [de marquês] e morreu muito pobre na capitania." Esse comentário é confirmado por frei Vicente do Salvador: "Tão pobre estava, me afirmou um padre da Companhia que se achava com ele à sua morte, que nem uma vela tinha para lhe meterem na mão, se a não mandara levar do seu convento."[168]

Gabriel Soares e as minas de Itabaiana

Algumas das primeiras buscas de dom Francisco tomaram a direção do São Francisco, como as de Adorno e dos irmãos João e Gabriel Soares. E a história dessas buscas obriga a voltar às preliminares da União Ibérica. É que aí começa a originar-se em algum lugar do sertão um dos mitos mais persistentes da história colonial: as minas de prata de Itabaiana.

A raiz mais remota do mito das minas de Itabaiana estaria nos relatos de Antônio Dias Adorno a João Coelho de Sousa. Adorno, como vimos, era mameluco, nascido na Bahia e neto de Diogo Álvares, o Caramuru. Era também descendente de genoveses que chegaram à colônia nos anos 30 do século XVI com Martim Afonso. Em 1574-1575, ele chefiou uma bandeira com 150 brancos e quatrocentos índios, tendo como "línguas" dois jesuítas, o padre João Pereira e o leigo Jorge Velho. Segundo consta, Adorno visava a atingir Sabarabuçu, a legendária "serra resplandecente". Não conseguiu e teve de dissolver sua bandeira no engenho de Gabriel Soares de Sousa, no Jequiriçá, na Bahia. Ele trazia, então, cerca de quatrocentos índios escravizados, algumas amostras de pedras preciosas e notícias de ouro.[169]

As histórias contadas por Adorno influenciaram João Coelho de Sousa, irmão de Gabriel. João, como Gabriel, era um grande sertanista e caçador de índios e realizou uma expedição própria alguns anos depois, seguindo os rumos indicados por Adorno. Não teve também qualquer resultado. Mas não se esqueceu de enviar uma carta a Gabriel, "a quem recomendou impetrasse auxílio do soberano" para realizar uma nova expedição. Dizia então que "as opulências por ele vistas no *hinterland* brasileiro bastariam para tornar a coroa ibérica a mais rica do mundo". O olhar do conquistador colonial já mudara, portanto, de Lisboa para Madri. Aconselhava a que procurasse minas na região onde ele próprio teria encontrado veios que, contudo, não pudera explorar. Nessa indicação de irmão para irmão estaria a origem do mito de um Eldorado brasileiro na região da serra de Itabaiana, no Sergipe. Um mito aparentado aos da linhagem da "serra resplandecente", de Sabarabuçu e das esmeraldas.

Gabriel Soares fez sua tentativa e também fracassou, não obstante os seus muitos esforços e recursos. Para obter apoio oficial foi a Madri, onde ficou dois anos, buscando recursos e difundindo junto à corte de Filipe II sua crença na existência das minas. Conseguiu, além de recursos, o título de "capitão-mor e governador da conquista e descobrimento do rio São Francisco". E ainda encontrou tempo para escrever o *Tratado descritivo do Brasil em 1587*, dos mais importantes documentos sobre a história da colônia. No regresso seu navio naufragou às costas de Sergipe, perdendo o conquistador boa parte dos materiais que trazia. Salvaram-se, porém, Gabriel e os que o acompanhavam, cerca de 360 pessoas, inclusive quatro frades carmelitas.

Com os salvados do naufrágio, Gabriel Soares renovou a empreitada com o apoio do governador-geral, dom Francisco de Souza, que lhe cedeu uma leva de duzentos índios. Embora reconstituída e reforçada, a nova expedição também fracassou. Gabriel Soares e o índio que lhe servia de guia morreram ainda em viagem, nas cabeceiras do Paraguaçu.[170] Os restantes da expedição foram obrigados a voltar à Bahia. Segundo alguns historiadores, o governador Francisco de Souza requereu e obteve para si "os mesmos privilégios e concessões outorgados a Soares, a fim de explorá-los como particular, apenas largasse o governo".[171] Mas podemos supor, como vimos anteriormente, que o governador não tirou qualquer vantagem dessas concessões. O mito das minas de prata, porém, persistiu.

Conquistadores do nordeste

Nas lutas contra os índios e nas batalhas contra os franceses e holandeses, as iniciativas de conquista dos tempos da União Ibérica alcançaram a extrema setentrional da linha de Tordesilhas. A conquista da Paraíba, em 1585, foi feita por Fructuoso Barbosa, comerciante português vindo de Viana do Castelo, que se tornou governador da capitania (1588-1591). Barbosa veio para a Paraíba com o auxílio da esquadra do espanhol Florez Valdez. A conquista de Sergipe foi realizada por Christovam de Barros, que, cumprindo ordens de Filipe II e do governo da Bahia, bateu os índios de Baepeba entre 1587 e 1590. A conquista de Alagoas foi iniciada em 1591, mas só concluída um século depois, com a destruição do quilombo de Palmares, por Bernardo Vieira de Mello, Sebastião Dias e Domingos Jorge Velho. A conquista do Rio Grande do Norte começou em 1597, com Manuel Mascarenhas Homem, capitão-mor de Pernambuco, Feliciano Coelho, capitão-mor da Paraíba, e o fidalgo Jerônimo de Albuquerque.

A conquista do Ceará iniciou-se em 1603, com Pero Coelho de Sousa e Martim Soares Moreno, mas o povoamento do estado só veio na segunda metade do século XVII, graças à expansão dos criadores de gado, com apoio dos jesuítas e dos bandeirantes paulistas. Aventureiros franceses, nos fins do século XVI, penetraram em terras do Maranhão, para onde velejou, em 1612, a frota do capitão Daniel de la Touche, senhor de La Ravardière. Os invasores foram expulsos por Jerônimo de Albuquerque e Maranhão, em 1613. Em 1616, deu-se a fundação de Belém do Pará, pela esquadra de Francisco Caldeira Castello-Branco.

Logo após chegar ao governo-geral, Diogo Botelho (1602-07) determinou a expedição do açoriano Pero Coelho de Sousa, famoso caçador de índios, que em 1603 chegou à barra do rio Ceará e ao Camocim.[172] Tendo conseguido o título de capitão-mor para desbravar e colonizar a capitania do "Siará

Grande", Sousa combateu também os tabajaras na serra de Ibiapaba, na divisa do Piauí. Percorreu ainda o Rio Grande do Norte, a Paraíba e, finalmente, Pernambuco, sempre na orla marítima e apresando índios, "tanto os aliados como os inimigos".

Tendo combatido nas guerras da Paraíba e do Rio Grande do Norte, Bento Maciel Parente abriu entradas no Amazonas em 1619. Por doação de Filipe II, em 1637, tornou-se Cavaleiro do Hábito de Cristo e recebeu a donataria da Capitania do Cabo Norte, atual estado do Amapá. Luís Aranha de Vasconcelos fundou a Guiana brasileira em 1622 e foi depois disso governador do Pará.

Quase ao fim do período da União Ibérica, em 1637-39, o general português Pedro Teixeira, por ordem da metrópole, repetiu a marcha de Orellana, porém na direção contrária. Orellana partira do Equador e chegara à foz do Amazonas. Pedro Teixeira partiu do Pará e chegou até Quito.

Conquista do Amazonas: Pedro Teixeira

Pedro Teixeira (1570-1641) participou da campanha para expulsar os franceses de São Luís do Maranhão, no litoral nordeste do Brasil. Lutou ainda contra os holandeses, os ingleses e os tupinambás. Em 1625, atacou e tomou o forte holandês de Maniutuba, na foz do Xingu, tendo sob seu comando os capitães pernambucanos Pedro da Costa Favela e Jerônimo de Albuquerque Maranhão (1548-1618), filho do português Jerônimo de Albuquerque (1510-1584) e da índia Tabira, filha do cacique Uirá Ubi, que foi batizada como Maria do Espírito Santo Arcoverde. Em 1629, Pedro Teixeira tomou o forte de Taurege (Torrego), construído pelos ingleses na margem esquerda do Amazonas. Mas a maior das suas façanhas ainda estava por vir.

A grande epopeia de Pedro Teixeira ocorreu entre 1636 e 1638. O conquistador partiu de Belém e navegou pelo Amazonas até Quito, no Equador. Buscando comunicação com o Peru, ele partiu de Belém chefiando uma expedição de 2.500 pessoas, entre militares, índios e parentes, subindo o curso do rio Amazonas. Empregou cerca de cinquenta grandes canoas, alcançou Quito, no Equador, e regressou a Belém depois de haver percorrido mais de 10 mil quilômetros de rios e trilhas. Em agosto de 1639, já na viagem de volta, em uma das margens do rio Napo, na confluência com o rio Aguarico, fundou o povoado da Franciscana, que conforme instruções que constavam do seu regimento deveria servir "de baliza aos domínios das duas coroas". Com esse feito, Pedro Teixeira contribuiu para assegurar a posse por Portugal de vasta porção da bacia amazônica. "Tomo posse destas terras, se houver entre os presentes alguém que a contradiga ou a embargue, que o escrivão da expedição o registre."[173]

Pode-se perceber por essas palavras que o conquistador sabia o quanto havia de ousado e de controverso no empreendimento, que se realizou quase ao fim da União Ibérica. Pedro Teixeira foi agraciado com o cargo de capitão-mor da Capitania do Grão-Pará. Em 1639, chegaram a Belém alguns capitães e sertanistas experientes, como Antônio Raposo Tavares, Manuel Mourato Coelho e Francisco de Melo Palheta, que passaram a percorrer o Amazonas e seus afluentes descobrindo comunicações fluviais e atingindo aldeamentos espanhóis na região oriental da Bolívia. Os capitães da conquista da Amazônia combateram diversas tribos e foram combatidos por elas e, como vencedores, escravizaram milhares de índios.

Piauí: Domingos Jorge Velho e Domingos Affonso Sertão

O Piauí foi conquistado nos anos de 1671 a 1674, após o fim da União Ibérica, com atraso, portanto, em relação aos demais estados da região. Circunstâncias históricas explicam que se tenha tornado um estado de formato geográfico diferente de seus vizinhos, com uma pequena faixa litorânea entre Maranhão e Ceará, que se alonga e se alarga para o interior, margeando Bahia, Pernambuco e Goiás. Segundo alguns historiadores, parte desse território foi ocupada por paulistas empregados nas guerras do norte que não voltaram mais a São Paulo, preferindo a vida de proprietários nas terras conquistadas como bandeirantes. Há registro de que nas margens do rio das Velhas e do São Francisco havia, ainda antes do descobrimento das minas, mais de cem famílias paulistas entregues à criação de gado. Além do paulista Domingos Jorge Velho e do baiano Domingos Affonso Sertão, aos quais se atribui a ocupação do Piauí, participaram outros sertanistas, entre os quais o representante da Casa da Torre, Francisco Dias de Ávila, coronel de ordenança e descendente de Garcia d'Ávila.

Domingos Jorge Velho alcançou notável desempenho no desbravamento das regiões do norte e do nordeste do Brasil. Domingos Affonso Sertão criou fazendas na margem do rio São Francisco, onde teria montado cerca de trinta estâncias, legadas depois, com todos os gados e escravos, à Compa-

nhia de Jesus, "de quem as confiscou a coroa".[174] Domingos
Affonso levava os seus rebanhos de gado ao sul do Piauí.
Falecendo em junho de 1711, deixou o bandeirante aos
padres jesuítas "trinta e nove fazendas, delas fazendo parte
cinquenta sítios...", fortuna considerável para a época.[175]

Belchior Moreia e o mito das minas de prata

O mito das "minas de prata" nasceu com a União Ibérica
e durou tanto tempo depois da Restauração que em fins do
século XVII nele ainda se inspiraram algumas expedições.
Em todo caso, é certo que o período pós-União Ibérica se
caracterizou por uma mudança nos rumos das conquistas,
que passaram do norte e do nordeste para o sudeste, incluindo
as regiões dos atuais estados de Minas Gerais, Espírito Santo,
Goiás e Mato Grosso. E também para o extremo sul, levando a incluir o Rio Grande no território colonial português.
É também da fase posterior à União Ibérica a fundação da
Colônia do Sacramento (1679), hoje no território da atual
República do Uruguai.

Belchior Dias Moreia, primo de Gabriel Soares de Souza
e, como Adorno, neto de Caramuru, participou da conquista
de Sergipe com Christovam de Barros, lá estabelecendo
fazendas de criação de gado. A partir de 1596, percorreu
o sertão durante oito anos, atingindo a serra de Itabaiana.
Além da riqueza e do prestígio da sua família, tinha títulos e
serviços prestados à Coroa que o habilitavam a candidatar-se
a titular da memória das "minas de prata". Diz Pedro Calmon
que entre 1590 e 1600 "nenhum morador havia por aquelas
margens do rio Real e pastagens ao longo do São Francisco

que se avantajasse em haveres e poderio a Belchior Dias Saraiva Moreira (ou Moreia, isto é, Caramuru), afazendado, com copioso gado, em Jebeberibe, com aldeias de índios a ele subordinadas e gente guerreira e destra ao seu serviço". (...) Era "o mais apotentado homem deste Estado no tempo de Filipe IV".[176]

Na procura de recursos para descobrir as minas, Belchior, como seus primos Gabriel e João de Sousa, foi a Madri, mas nada conseguiu. Em 1618, na Bahia, tentou negociar com as autoridades coloniais. Se o governador Luís de Sousa atendesse às mercês que pedira em Madri, faria uma entrada a Itabaiana para o reconhecimento das minas. A entrada, da qual participou também Salvador Correia de Sá e Benevides, efetivamente realizou-se. Mas em circunstâncias pouco agradáveis a Moreia. O governador entendeu que seria melhor prendê-lo. E, assim, o prisioneiro e o carcereiro foram a Itabaiana, onde apenas acharam "umas pedras cravadas de marquesita branca que não deram de si prata alguma". Além disso, Belchior foi condenado a dois anos de cárcere e a uma indenização para cobrir as despesas da jornada. Morreu em 1622, dois anos depois de libertado da prisão, recusando-se sempre a revelar o lugar das "minas de prata".

Moreia fracassou, mas a fama de suas supostas descobertas cresceu. Tantas eram as histórias que corriam na colônia sobre as "minas do Moreia" que, tempos depois, se chegou a atribuir algumas das suas façanhas a Robério Dias, seu filho e único herdeiro. Robério ficou tão famoso que, no século XIX, se tornou personagem de *As minas de prata,* célebre romance de José de Alencar. Os historiadores asseguram, porém, que "não existe prova alguma de que (Robério) houvesse penetrado os sertões". O certo, porém, é que essa não foi a única história gerada pelas aventuras do Moreia. Houve várias outras, uma delas após 1628, de seu sobrinho Francisco Dias d'Ávila, da Casa da Torre. E em sequência, no rastro das famosas minas, vieram ainda, em 1655, as novas explorações dos irmãos Calhelhas, de Itabaiana. E não ficou apenas nisso.

Como outras lendas relativas à colônia, a das minas de prata influenciou algumas iniciativas dos holandeses na região por eles conquistada. Anotam alguns historiadores que Nassau fez partir do Recife uma expedição à cata de minas de metais preciosos, da qual participou o poeta e historiador Elias Henckmans. Ocorreram outras empresas holandesas à busca das minas de Itabaiana, seguindo as pegadas de Melchior Dias, e ainda outras no Cunhaú, Rio Grande do Norte. Quase ao término do domínio holandês, Mathias Beck dirigiu uma grande expedição ao Ceará em busca de prata. A reconquista portuguesa do Nordeste em 1654 deu fim a essas buscas holandesas.[177]

Não obstante uma longa história de fracassos, a metrópole lusa não perdera as esperanças de encontrar as minas. Terminada a União Ibérica, uma sequência de decisões da Coroa portuguesa manteve o objetivo, designando representantes seus para a pesquisa das minas. Em 1644, Salvador Correia de Sá e Benevides foi nomeado para o posto que antes fora de Francisco de Sousa, de governador e administrador-geral das minas da Repartição do Sul.[178] Em 1663, Agostinho Barbalho Bezerra foi escolhido para administrador das minas de Paranaguá e da serra das Esmeraldas. E o rei Afonso VI escreveu aos oficiais da Câmara de São Paulo pedindo-lhes que auxiliassem a empresa de Barbalho. Apoiado em carta do rei dirigida a Fernão Paes de Barros, Barbalho solicitou socorros de mantimentos, que escasseavam no Espírito Santo. Com esse apoio, Paes de Barros entrou no sertão em procura da serra das esmeraldas, mas "faleceu antes de acabar de concluir com o dito descobrimento".[179] Sobreviventes da bandeira chegaram ao litoral em fins de 1667. Mas não terminou por aí a força de atração das famosas "minas de prata".

O visconde de Barbacena, Afonso Furtado de Castro do Rio de Mendonça, era governador-geral em 1671-1675 quando se deixou persuadir da existência das minas de Itabaiana por um bisneto de Belchior, o coronel Belchior da Fonseca Saraiva Dias Moreia, conhecido como "o Moribeca". Já a essa época havia voltado Lisboa a ser a metrópole da colônia brasileira. E foi para lá que o Moribeca mandou algumas mostras de minerais diversos que entremeou com alguma prata do espólio de seu bisavô. Mas o barco que levava esse material naufragou. Era mais um fracasso em uma sucessão de tentativas frustradas.

Há, porém, razões para crer que as informações passadas pelo Moribeca ao visconde de Barbacena foram tomadas a sério em Lisboa. Basílio de Magalhães sugere que essas informações acabaram por influenciar a decisão da Corte de enviar, em 1673, dom Rodrigo de Castello-Branco para o Brasil, como "administrador das minas de prata de Itabaiana". Dom Rodrigo era espanhol, fidalgo da Casa de Filipe II e tinha experiência adquirida em Potosí, no Peru. A Coroa lusa esperava, por certo, que viesse a ter na colônia influência pelo menos similar à de dom Francisco de Sousa. Mas isso não ocorreu, pois dom Rodrigo morreu em 1682, assassinado pelo bandeirante Manuel de Borba Gato.

Seria de supor que toda essa série de fracassos devesse levar a administração a desistir dos seus propósitos de encontrar minas no território brasileiro. Mas o maior de todos os paradoxos é que essa longa história de fracassos surpreendentemente terminou em êxito.

Nos primeiros anos da União Ibérica, o polo das conquistas se deslocou aos poucos da Bahia para São Paulo. No conjunto, esses movimentos descrevem um dos paradoxos mais interessantes da história do Brasil e da América Ibérica. Os portugueses avançaram além da linha das Tordesilhas precisamente na época em que Portugal e sua colônia americana passaram ao reino de Filipe II, de Espanha. Os portugueses avançaram sobre as terras do oeste na época em que os espanhóis teriam mais razões para crer que essas terras fossem suas. Esse paradoxo tem algo a ver com a convicção que se criou ao longo do tempo de uma "espontaneidade" das bandeiras do período da União Ibérica, uma distinção apoiada por diversos autores.

Entradas oficiais x bandeiras espontâneas

Basílio de Magalhães tentou distinguir as entradas da primeira fase do século XVI das bandeiras do período posterior, dizendo que aquelas teriam sido "oficiais", essas últimas teriam sido "espontâneas". As entradas teriam surgido do poder colonial e as bandeiras dos particulares teriam surgido à margem dos interesses oficiais. Também essa distinção serviu em algum momento para justificativas ideológicas diversas. Mas os dados do amplo levantamento realizado por Basílio de Magalhães não sustentam tal distinção. Em vez disso sugerem, como os de outros autores, que nos dois períodos as autoridades da metrópole e seus representantes na colônia tiveram um permanente interesse nas investidas sertão adentro. A questão controversa dessa época era a da caça e escravização dos índios, não a de quem tomava a iniciativa das entradas ou das bandeiras.

Essas duas questões — a da iniciativa das bandeiras e a da escravização dos índios — tomavam sentido em face de um mesmo padrão econômico e político dominante na época. Respondiam ao extrativismo econômico e a uma busca de controle sobre o território, que eram do interesse direto da Coroa, estivesse essa em Lisboa ou em Madri. Busca de ouro e diamante, exportação de pau-brasil, escravização de índios, exportação de índios no território da colônia, importação de escravos negros da África — tudo isso se resolvia nos termos de uma mesma equação na qual a Coroa tinha pelo menos tanto interesse quanto os particulares. E nem se pretenda que na União Ibérica as autoridades portuguesas tenham perdido controle da administração colonial, abrindo-se assim campo à espontaneidade dos colonos. Como vimos, os acordos da União Ibérica permitiram à nobreza lusa preservar o controle administrativo sobre sua colônia na América.

Houve, por certo, algumas bandeiras "irregulares", que se realizaram a despeito da vontade oficial, e outras que ocorreram em momentos em que as autoridades preferiam que não acontecessem. Mas, de modo geral, nas entradas, assim como nas bandeiras, os conquistadores eram personagens mandados — ou, de algum modo, autorizados — pela Coroa ou pela autoridade colonial. Chamem-se entradas ou bandeiras, as investidas ao sertão eram financiadas de diversas maneiras: por recursos próprios dos conquistadores, por financiadores particulares ou por apoios diversos que aqueles buscavam junto à administração colonial, estivesse esta sediada em Lisboa, em Madri ou representada na Bahia ou no Rio de Janeiro. Em qualquer hipótese, os conquistadores estavam sempre, direta ou indiretamente, ligados à Coroa, pelo menos em razão da expectativa de benesses que só esta poderia conceder-lhes. Estavam também sempre interessados em parte do butim, em terras, honras e mercês. Nesse sentido, dependiam sempre de concessões que só poderiam ser feitas pelos monarcas ou seus representantes.

CAPÍTULO VIII

Manuel Preto, Raposo Tavares,
Fernão Dias e os Anhangueras

Alguns historiadores sustentam que o primeiro e mais importante motivo das entradas e das bandeiras foi o ouro. O
apresamento dos índios teria sido um objetivo secundário,
colateral, por assim dizer de substituição, que teria ocorrido
em razão das dificuldades das bandeiras para chegar ao seu
objetivo maior.[180] De um modo ou de outro, o certo é que
desde o começo os conquistadores combinaram a pesquisa
e a exploração das minas com o combate aos índios, seu
apresamento e sua escravização.

Sabe-se de diversas empreitadas que teriam saído às minas
e voltado com centenas ou milhares de índios aprisionados.
Também é certo que muitas das entradas e das bandeiras se
caracterizaram pelo único motivo da caça ao índio. E exis-
tem também as que saíram para a guerra contra os índios,
visando a defender uma vila, engenhos ou propriedades
ameaçadas. Outras eram dirigidas a abrir caminhos no ser-

tão, desobstruindo rotas eventualmente ameaçadas pelos nativos. Também não se podem ignorar outros motivos, entre os quais a busca de recompensa e mercês pelos bandeirantes. E, sobretudo, não se pode ignorar o interesse da Coroa em garantir a posse do território.

A caça aos índios foi também apresentada como objetivo secundário também de outro ponto de vista. Houve tempo em que os povoadores paulistas argumentavam que a caça ao índio era o "remédio" para a sua pobreza. Caça-se o índio, diziam, porque não se tem recursos para comprar escravo negro. O mesmo argumento foi repetido décadas depois dos paulistas pelos povoadores do Maranhão. Eles alegavam que, como eram pobres não podiam comprar negros da Guiné e por isso tinham de escravizar índios. Mas, até onde os dados permitem observar a história, os objetivos de conquistar índios e explorar minas sempre se conjugaram na perspectiva de domínio e enriquecimento dos conquistadores. Predominando um ou outro desses objetivos segundo as circunstâncias, sua convivência é evidente em muitas entradas da Bahia, polo dessas iniciativas no século XVI, tanto quanto nas de São Paulo, polo do bandeirismo do século seguinte e das grandes investidas ao Guaíra. E, depois, continuaram se combinando na tomada do litoral do nordeste e do norte do país e na conquista de Goiás e Mato Grosso.

Caminhos para o sul: Manuel Preto e Raposo Tavares

Não foram poucas desde 1602 as bandeiras enviadas ao sul, especialmente ao Guaíra, quando Francisco de Sousa determinou uma investida naquela região sob o comando do paulista Nicolau Barreto. Outras se seguiram, até que, em 1628, ocorreram as famosas bandeiras de Manuel Preto e de Antônio Raposo Tavares, que mudaram as relações entre portugueses e espanhóis na região.

O caminho para o sul foi aberto, em 1585 ou 1586, por Jerônimo Leitão, um fidalgo da casa de dom João III que foi por vinte anos capitão-mor de São Vicente (1572 a 1592). Leitão era amigo do padre Anchieta e visto com ressalvas pelos sertanistas que combatiam o comportamento benevolente dos missionários com a população indígena. Mas em que pese a amizade com o padre, Jerônimo Leitão foi também um grande caçador de índios. Tornou-se mesmo proprietário de nativos que, muitos deles, trabalhavam na fazenda, no engenho de açúcar e na mineração do ouro que possuía em Jaraguá, São Paulo. Em seu período como capitão-mor, atendeu a pedidos da Câmara de São Vicente para fazer guerra aos carijós, tupinaés e tupiniquins. Em 1585, saiu contra os carijós comandando uma bandeira que se dirigiu ao sul até Paranaguá. Era uma etapa preliminar no que veio a ser depois a conquista do Guaíra.

Em fins do século XVII as buscas de minério estavam começando a mudar para o sudeste, embora ainda se mantivesse parte das orientações anteriores, fixadas na direção do rio São Francisco. No período de 1590 a 1597, os dois Afonso Sardinha, o pai e o filho, descobriram ouro de lavagem nas serras de Jaguamimbaba, de Jaraguá e de Ivuturuna (Santana do Parnaíba, São Paulo). Afonso Sardinha, o velho, que chegou a ser um dos homens mais ricos da região, declarou em testamento "possuir 80.000 cruzados de ouro em pó (e) que o tinha enterrado em botelhas de barro".[181]

São desses mesmos anos as campanhas de Jorge Correia contra os índios das vizinhanças de São Paulo. Correia que, em 1592, se tornou capitão-mor governador da capitania de São Vicente, foi moço da câmara d'El-Rei. Depois de seu período como governador, foi ouvidor da capitania e vereador em Santos. Em 1596, a bandeira de João Pereira de Sousa Botafogo, enviada às nascentes do rio São Francisco, parece combinar-se com as de Diogo Martins Cão, no Espírito Santo, e a de Martim Correia de Sá, no Rio de Janeiro. Em 1598, Afonso Sardinha, o moço, saiu de São Paulo, "à testa de mais de cem índios cristãos", à busca de ouro e outros metais. Pouco antes, João do Prado (1510-1597), que havia chegado a São Vicente com Martim Afonso, acompanhou Sardinha e Correia em suas entradas e chegou às margens do rio Grande, o rio Paraná de hoje. Dom Francisco de Souza esteve em 1598 no Espírito Santo, de onde mandou duzentos índios para auxiliar a pesquisa das minas de São Paulo.[182]

Em 1601, por ordem do governador Francisco de Sousa, André Leão chefiou expedição com cerca de setenta homens, que durou nove meses, em busca de Sabarabuçu. Embora não alcançasse nenhuma riqueza em ouro e metais preciosos, devassou caminhos que depois foram seguidos por Fernão Dias Paes Leme. André Leão havia chegado a São Vicente com Martim Afonso e depois mudou-se para o Rio de Janeiro, para participar do grupo de Estácio de Sá.

Aos olhos da Coroa, os metais preciosos permaneciam um objetivo tão importante que às vezes serviam aos sertanistas para mascarar a caça ao índio. Em 1603, Francisco de Sousa enviou Nicolau Barreto, com centenas de homens, para a região do baixo Paraná para descobrir ouro e prata. Dessa bandeira fez parte, ainda adolescente, Manuel Preto, que depois chegou a ser um dos maiores sertanistas de São Paulo na primeira metade do século XVII. Em 1606, ele percorreu novamente aquela região do sul e levou a São Paulo muitos índios temiminós que arrebanhara ao regressar. Em terras que adquiriu por volta de 1612, fundou em São Paulo a capela do Ó, início do atual bairro paulistano da Freguesia do Ó. Segundo denúncia do padre espanhol Julio Mansilla à Companhia de Jesus, a bandeira de Nicolau Barreto tinha, debaixo da aparência de descobrir ouro e prata, o objetivo real de caçar e escravizar índios nas reduções jesuíticas do Guaíra.[183] Começaram nas primeiras décadas do século XVII as aproximações dos portugueses no rumo sul, além da linha das Tordesilhas. Por isso mesmo, naqueles anos começaram também as queixas e os atritos entre espanhóis e portugueses.

Caçar índios e buscar minas

O fidalgo Diogo de Quadros chegou ao Brasil com dom Francisco de Sousa e exerceu diversos cargos na administração da colônia. Foi capitão-mor de Sergipe de 1595 a 1600 e, depois, em 1601, exerceu o cargo de provedor da Fazenda de Pernambuco. Em 1607, foi provedor das minas de São Paulo, no governo de Diogo Botelho, e nessa qualidade enviou Baltazar Gonçalves ao sertão, para descobrir metais na região de Bacaetava, no atual estado do Paraná. Mas em São Paulo, embora com o compromisso de construir engenhos de ferro, ele fora criticado por interessar-se mais pela caça aos índios. No mesmo ano, também a mando de Diogo de Quadros, ocorreu a expedição do mameluco Belchior Dias Carneiro, neto de João Ramalho, ao sertão dos bilreiros ou caiapós, às margens do rio Paraná, na região de Goiás. Atacado pelos índios, Dias Carneiro faleceu no sertão, tendo como sucessor na direção da bandeira Antônio Raposo, o velho.

Buscando minas ou caçando índios, o rumo desses conquistadores era cada vez mais dirigido ao sul. E para muitos deles havia que combinar os objetivos, ou seja, apresar índios para colocá-los a serviço da procura das minas e, depois, do serviço delas, quando as encontrassem. Em 1608, o espanhol Martim Rodrigues Tenório de Aguilar, que fez parte da bandeira de Nicolau Barreto ao Guaíra, desceu o Tietê no rumo do Mato Grosso, dali subindo ao rio Pará. Aguilar, muito rico para a época, "pessoa de trato com várias dadas de terra", foi sogro dos fundidores Clemente Álvares e Cornélio de Arzão. Clemente Álvares, amigo de Afonso Sardinha, foi almotacel (encarregado de fixar preços, pesos e medidas para alimentos) em São Paulo e, como o sogro, proprietário de sesmarias. Em 1610 organizou uma bandeira que, saindo de Pirapitingui, no Tietê, assaltou os índios carijós. No mesmo ano, Cristóvão de Aguiar deu combate aos biobebas do oeste.

Não pode haver dúvidas quanto ao empenho oficial nessas grandes empreitadas de inícios do século XVII, tomando-se em conta as iniciativas de dom Francisco de Sousa, um dos grandes incentivadores das entradas em seus tempos de governador da Repartição Sul. Mas, para Basílio de Magalhães, as bandeiras dessa época devem-se ainda em maior medida a dom Luís de Sousa, que tomou o lugar de dom Francisco na governança depois do falecimento deste, em 1611. Basílio se refere especificamente ao Guaíra, de onde dom Luís teria mandado buscar parentes de caciques que estavam em São Paulo para que fossem trabalhar nas minas de Araçoiaba, entre os rios Sorocaba e Sarapuí.

Em 1611, uma primeira expedição enviada ao Guaíra de que tomou parte Pedro Vaz de Barros, capitão-mor de São Vicente, arrebanhou mais de oitocentas famílias, mas foi derrotada pela tropa do governador castelhano daquela região. Também de 1611 parece ser a entrada de Diogo Fernandes aos "pés-largos". De 1612 datam as de Sebastião Preto ao Guaíra, e Garcia Rodrigues Velho aos bilreiros. Em todo caso, daí em diante, o empenho da administração colonial nessas entradas tornou-se cada vez mais evidente. Em meados de 1612, Sebastião Preto atacou uma redução jesuítica no Guaíra e aprisionou centenas de índios, muitos dos quais foram retomados pelo governador Bartolomeu de Torales, de Ciudad Real.

Rumo ao norte e ao centro-oeste

Em 1613, Rafael de Oliveira, procurador da Câmara de São Paulo, denunciou o governador Luís de Sousa como fomentador de entradas visando a incrementar a exportação de escravos da capitania. São dos mesmos anos as queixas contra Diogo de Quadros de cuidar mais de "cativar índios do que da fabricação de ferro". Apesar das queixas, Quadros continuou suas atividades e em 1615 orientou uma entrada de André Fernandes, dessa vez no rumo norte, ao sertão do rio Paraupava, hoje Araguaia.

O mameluco André Fernandes era filho de Susana Dias, neta do cacique Tibiriçá, um chefe indígena que tomou o nome cristão de Martim Afonso, em homenagem ao conquistador português. André Fernandes foi um dos fundadores da vila de Santana do Parnaíba, na vizinhança de São Paulo, às margens do Tietê, lugar que se tornou estratégico para os bandeirantes paulistas. Na segunda metade do século XVII, era morador de Santana o padre Pompeu de Almeida (1656-1713), filho de Guilherme Pompeu de Almeida, capitão-mor de Parnaíba. A família Pompeu de Almeida era conhecida por sua riqueza, mas o padre se tornou particularmente célebre como financiador de bandeiras ao sertão. Contudo, vale enfatizar que, em inícios do século XVII, André Fernandes desempenhou importante papel na região em uma Santana do Parnaíba que se achava ainda no nascimento. Recebeu por provisão do capitão-mor Jorge Correia sesmarias na área que depois ampliou com herança recebida da mãe. E tornou-se conhecido como caçador de índios, devassando as vizinhanças de Santana do Parnaíba em constantes investidas contra os nativos.

Dom Luís de Sousa promoveu em 1615 a grande entrada de Antônio Pedroso de Alvarenga, 2 mil quilômetros no rumo oeste, ao sertão do Paraupava, hoje em Goiás. Também de 1615 é a bandeira de Lázaro da Costa ao sertão dos Patos, hoje Santa Catarina. Desse mesmo tempo é a jornada ao sul de Antônio Castanho da Silva, que foi além do Paraná, até o Peru, onde faleceu, em 1622, nas minas de Tataci, província de Chiquitos. Em 1619 ocorreram as entradas de Manuel Preto, ao Guaíra, e de Henrique da Cunha Gago também no rumo sul, ao sertão dos carijós. O pai de Henrique da Cunha Gago era amigo de Martim Afonso com quem havia chegado a São Vicente. Henrique da Cunha Gago morreu no sertão em 1623. Nesse mesmo ano ocorreu a expedição de Sebastião Preto, que também morreu em campanha, de uma flechada no sertão dos índios abueus, no Mato Grosso.

Manuel Preto: assaltos ao Guairá

Até 1629 as queixas contra os bandeirantes, nos textos dos jesuítas espanhóis sediados no sul, revestem um tom moderado. Daí por diante exacerbam-se, provavelmente em razão da grande bandeira daquele ano. Mas as queixas vêm de muito antes. Não se pode ignorá-las pelo menos desde 1614, quando o padre Torres, provincial da Companhia da área do Guaíra, dizia que *"castellanos y lusitanos viven aqui en suma discórdia con no poco escandalo y daño de los índios"*. Nessa mesma carta, ele se refere aos *"terribles tigres españoles"*, que não só arrebatavam os índios não cristãos das aldeias em que viviam, mas arrancavam também *"índios y caciques hasta de las reducciones encomendadas a nuestro cuidado"*, ou seja, já submetidos à disciplina jesuítica. Foram necessários, porém, mais uns 15 ou 16 anos para que os portugueses viessem a ser qualificados de maneira tão dura, ou talvez ainda pior. "Essa terrível e destruidora conjura de Satanás com os seus aliados de São Paulo teria começado entre os anos de 1628 e 1629, com a grande bandeira de Raposo Tavares."[184] Os historiadores brasileiros, entre os quais Capistrano, Calógeras e Taunay, não ficaram atrás na severidade do juízo. Capistrano considera algumas das bandeiras ao sul como obras de abominável carnificina.

Em 1619, já com o título de mestre de campo, Manuel Preto foi de novo ao sul para assaltar as reduções jesuíticas de Jesus Maria, Santo Inácio e Loreto. Voltou ao Guaíra em 1623 e 1624, destruindo reduções jesuíticas e levando numerosa escravaria indígena para São Paulo. Em 1626 foi processado como cabeça de entradas e por violências praticadas, sendo impedido de exercer o cargo de vereador para o qual fora eleito. Em 1628, depois dos impedimentos que enfrentara em São Paulo para exercer o cargo de vereador, pôs-se à frente duma grande bandeira ao Guaíra, tendo Antônio Raposo Tavares como capitão-mor imediato

Em 1628, André Fernandes recebeu do governador do Rio de Janeiro, Álvaro Luís do Vale, a missão de conduzir o governador do Paraguai, dom Luís de Céspedes y Xeria, a seu país, pelo caminho do rio Tietê. O governador paraguaio era casado com dona Vitória de Sá, da família Sá e Benevides, e tinha propriedades no Rio de Janeiro. Em 1630, Álvaro Luís do Vale pediu a Fernandes, um dos companheiros de Raposo Tavares, que descesse o Tietê com dona Vitória, em viagem ao Paraguai. Nessa viagem Fernandes foi acompanhado por Salvador Correa de Sá e Benevides.

Raposo Tavares tinha dois trapiches no Rio de Janeiro e, segundo o padre Montoya, ali estivera para tratar da plantação de cana-de-açúcar em terras de dona Vitória. Esse fato leva a crer que Raposo Tavares mantinha relações de interesse com o governador Céspedes y Xeria e que esse deve ter ouvido queixas dos paulistas contra os jesuítas do Guaíra.[185] O que se pode ainda supor é que as investidas de Raposo Tavares contra o Guaíra vinham sendo preparadas havia mais tempo.

Em 1628, Manuel Preto arrasou a maioria das reduções jesuíticas existentes naquela região. Como prêmio pelos serviços prestados, obteve a patente de governador das ilhas de Sant'Ana e Santa Catarina, concedida pelo conde de Monsanto, donatário da capitania de São Vicente.[186] O genealogista Pedro Taques assegura que Manuel Preto destruiu reduções jesuíticas no Ivaí, no Tabagi e no Uruguai e que sua ação foi violenta "para com os jesuítas Simão Masseta, José Cataldino e Antônio Ruiz de Montoya".[187] Em 1630, Manuel Preto morreu no sertão. Nas palavras de um cronista, "foi morto pelos índios a frechadas".

No século XVII, a preferência dos sertanistas paulistas voltou-se para os índios domesticados do Guaíra, e do Itatim (atualmente no Mato Grosso do Sul). E assim, ao mesmo tempo, as bandeiras iam incorporando ao Brasil as regiões do oeste do Paraná e Mato Grosso do Sul. Nas terras vicentinas, "era viva e bem arraigada a tradição da caça ao gentio, que oferecia vantagens menos incertas do que as das minas lendárias". Nas primeiras décadas do século XVII, a exportação de índios escravos pelos bandeirantes de São Vicente era do conhecimento de muita gente. Não por acaso, o governador dom Luís de Sousa foi visto como fomentador de entradas visando a aumentar a exportação de escravos da capitania. Segundo Taunay, por volta de 1615 já era grande a saída de cativos das terras vicentinas, sobretudo dos carijós do sul do Brasil, para outras capitanias.[188]

O conhecimento da exportação de escravos aumentou também em razão das denúncias castelhanas dirigidas ao rei, como nesta carta de 1636: *Senhor [...] todo ha cessado desde q tratan de ir cautivar Indios, porque trayendoles de la forma que dije, con los que aqui llegan [...] los venden a varios o de esta tierra, o de la isla de San Sebastian, o para otras partes del Brasil, y del precio no pagan quintos como lo haviam de hazer del oro, y tienen mas esclavos hombres desventurados en esta villa q vassalos algunos Señores de España.*

Sérgio Buarque leu num escrito de Francisco Quevedo (1580-1645) uma expressão dos mesmos temores castelhanos: "Aparecem aqueles 'rebeldes a Deus na fé e ao seu rei na vassalagem' senhores das partes do Brasil que formam como a garganta das duas Índias, já prestes a devorarem as de Castela. Quando se enfadassem de tanto navegar, quem diria que não desejassem para si o Rio da Prata e Buenos Aires? (...) E não só punham em risco Buenos Aires, como já davam que pensar a Lima e a Potosí, 'por assim afirmar a geografia'."[189]

É evidente que os temores castelhanos os levavam à defesa dos índios e do território que acreditavam pertencer-lhes. E havia motivos para muitos temores. Em São Vicente ficaria o trampolim para os estabelecimentos espanhóis. E para o sul voltaram-se as perspectivas dos "portugueses de São Paulo". Já nos inícios do século XVII, no governo de dom Francisco de Sousa, os bandeirantes manifestaram pouco interesse em projetos do governador, seja no plantio de trigais e videiras, seja na procura ou conquista das minas. Em fins desse século, um governador do Rio de Janeiro assinalou "o escasso interesse que demonstravam os paulistas por aquelas minas".

Mas não eram apenas os "portugueses de São Paulo" que queriam o controle de um caminho para as pratas de Potosí e a perspectiva de lucros mais seguros do que as incertezas da pesquisa das minas no Brasil. Também os holandeses manifestaram, em 1615, interesse em controlar esses caminhos, suscitando batalhas em Santos das quais participou o bandeirante Sebastião Preto em defesa do porto. Em 1642, o conde João Maurício de Nassau elaborou um projeto de conquista de Buenos Aires. Como tantos outros projetos daqueles tempos, também esse se frustrou.

Segundo o historiador João Ribeiro, os holandeses tinham notícia oficial de quatro minas de prata na região que conquistaram no Nordeste. E o conde de Nassau fez partir do Recife em 1641 uma expedição de 173 pessoas em busca das minas de ouro, sob o comando de Elias Henckmans, guerreiro e poeta, "que narrou as peripécias da inútil jornada através das florestas ou do deserto sertão até ao morro misterioso da Gapoaba". Houve ainda outras empreitadas com o mesmo objetivo, como a já mencionada busca das minas de Itabaiana por Niemeyer. Quase ao fim do domínio holandês, houve ainda uma expedição, dirigida por Mathias Beck, que velejou para o Ceará.[190]

Raposo Tavares: de norte a sul

Antônio Raposo Tavares (1598-1658) era de família de "cristãos novos". Veio para o Brasil em 1618, ainda moço, com seu pai, Fernão Vieira Tavares, designado capitão-mor de São Vicente, em 1622. Em São Paulo, tornou-se capitão de uma bandeira de ordenanças e proprietário de terras.[191] Era intimamente ligado aos interesses políticos e econômicos do donatário da capitania, o conde de Monsanto, de uma família de antiga linhagem portuguesa.

Pouco antes da bandeira de 1629 de Raposo Tavares com seus 900 brancos e 2.200 indígenas, Manuel Mourato Coelho, comandado de Manuel Preto, ocupara a aldeia de Jesus Maria. Algum tempo depois Antônio Bicudo de Mendonça ocupou a aldeia de São Miguel de Ibituruna. Em 1636, Antônio Raposo Tavares, que voltara às atividades desde 1631, participou de outra expedição dirigida ao Tapes, no centro do atual estado do Rio Grande do Sul. Expulsos os jesuítas, Raposo Tavares voltou a São Paulo, onde era considerado herói, e, entre 1639 e 1642, dedicou-se a ações militares. Como capitão de companhia, integrou o contingente enviado para prestar socorro às forças sitiadas na Bahia. Em missão semelhante esteve em Pernambuco, onde tomou parte na longa batalha naval contra os holandeses.

A última e maior das bandeiras de Raposo Tavares iniciou-se em 1648 e realizou a primeira grande viagem de reconhecimento geográfico em território brasileiro. Durou mais de três anos (1648-1652), em busca de prata, e percorreu 10 mil quilômetros. Saiu de São Paulo, seguiu pelo interior do continente, atingiu o Tocantins, atravessou a floresta amazônica e chegou ao atual estado do Pará. Na direção ao sul, tomou o Guaíra, no Paraná, e o Itatim, no Mato Grosso do Sul.

Raposo Tavares dividiu essa grande bandeira em duas colunas. A primeira, chefiada por ele próprio, reunia 120 paulistas e 1.200 índios. A segunda, um pouco menor, era comandada pelo sertanista baiano Antônio Pereira de Azevedo. Viajando separadamente, os dois grupos desceram o Tietê até o rio Paraná, de onde atingiram o Aquidauana, no Mato Grosso do Sul. Reuniram-se às margens do rio Paraguai, ocupando a redução jesuítica de Santa Bárbara. Depois de unificada, a bandeira prosseguiu viagem em abril de 1649, alcançando o rio Guapaí (ou rio Grande), de onde avançou em direção à cordilheira dos Andes, entrando na América espanhola, entre as cidades de Potosí e Santa Cruz de la Sierra (Bolívia). Aí permaneceu até meados de 1650, explorando a região.

De julho de 1650 a fevereiro de 1651, já reduzida a algumas dezenas de homens, a bandeira empreendeu a etapa final. Seguiu pelo Guapaí até o rio Madeira e atingiu o rio Amazonas, chegando ao forte de Gurupá, nas proximidades de Belém. Consta que, voltando a São Paulo, Raposo Tavares e seus companheiros e comandados estavam cansados e doentes. Diz-se que ele próprio estava tão desfigurado que nem seus parentes o reconheceram. Como resultado dessa aventura, vastas regiões desconhecidas entre o trópico de Capricórnio e o equador passavam a figurar nos mapas portugueses.

Exportar escravos, ampliar território

Os paulistas não teriam atacado as missões jesuíticas por anos seguidos se não contassem com o apoio, ostensivo ou velado, das autoridades coloniais. Diz Jaime Cortesão que "a importação do escravo negro tornou-se, desde os inícios do segundo quartel do século XVII, um mercado exigente e a venda do braço indígena altamente remuneradora. A bandeira de 1628-29 abasteceu esses mercados". "Os numerosos engenhos de Pernambuco, Bahia e Rio de Janeiro, com suas grandes lavras, cortadas que foram pelos holandeses as comunicações com o golfo da Guiné, ou Luanda e Bengala."[192] Além disso, "a lavoura em propriedade latifundiária, como a dos moradores de São Paulo, senhores de vastas sesmarias, não podia levar-se a cabo sem a mão de obra escrava". Muitas vezes era o governo que financiava a expedição. Em outras ocasiões, o governo se limitava a fechar os olhos para a escravização dos índios (ilegal desde 1595), aceitando o pretexto da "guerra justa".

Para Cortesão, os apetites econômicos teriam influído, além da conquista do território, nas bandeiras paulistas ao

Guaíra. No século XVII, no período da ocupação holandesa do Nordeste, o controle dos holandeses sobre os mercados africanos interrompeu o tráfico negreiro. Deste modo, mesmo nas regiões de maior desenvolvimento do açúcar, os colonizadores portugueses foram obrigados a voltar à escravização do indígena para trabalhos antes já realizados pelos africanos. O aumento da procura do escravo índio provocou uma elevação nos preços do "negro da terra", que custava, em média, cinco vezes menos do que os escravos africanos. Eis aí, segundo Cortesão, um dos motivos para as grandes bandeiras do século XVII ao sul. Além desses motivos, Cortesão viu nessas bandeiras uma acentuada preocupação geopolítica dos grupos de poder que na Península Ibérica estavam atentos à conquista do território.

Em todo caso, o certo é que as grandes bandeiras ao sul tiveram enormes consequências. Em primeiro lugar, agravaram os conflitos dos sertanistas com os missionários, com a destruição das reduções jesuíticas. E, além disso, incidiram diretamente na ampliação do território luso da América. No mesmo espírito das entradas do século XVI, as do XVII registraram, ao lado do tremendo impulso dos conquistadores, a iniciativa, ou, pelo menos, o estímulo, da metrópole. Ao lado, evidentemente, da ambição de poder dos próprios sertanistas.

A geopolítica teria de ser permanente preocupação de Portugal e Espanha numa época em que os corsários de outros países europeus intensificaram incursões nas conquistas ibéricas em toda parte. No Nordeste, as invasões holandesas de fins do século XVI se prolongaram até meados do século XVII. Quanto aos franceses, depois de expulsos da Guanabara no século XVI, tentaram, no século seguinte, criar a

França Equinocial no Maranhão. Além da inquietação de portugueses e espanhóis quanto à demarcação do território, os holandeses, ingleses e franceses fizeram na Amazônia de inícios do século XVII incursões que lhes garantiram uma presença nas Guianas. Se ao norte crescia a expansão da influência dos jesuítas portugueses, em geral contra os sertanistas, no sul os jesuítas espanhóis insistiam no combate aos "portugueses de São Paulo".

Em maio de 1629, depois de dez meses de sertão, vitoriosos, mas exaustos, os paulistas voltam a Piratininga. Com o grosso da bandeira vieram dois jesuítas, os padres Mancilla e Mazzeta, que preferiram acompanhar os nativos que iam para o cativeiro. Foram esses padres os autores da *Relación de los agravios*, texto valioso para a reconstituição da expedição. Raposo Tavares entrou em São Paulo levando, segundo dizem, 20 mil "peças" de escravos.

O governador Luis Céspedes y Xeria, do Paraguai, nada fez para impedir a destruição de Guaíra, apesar de ter assistido em São Paulo aos preparativos da bandeira. Na época corriam rumores de que havia sido subornado para ficar calado, recebendo dos paulistas engenhos de açúcar e índios escravos. Outros diziam que dom Luis nada podia fazer, já que sua mulher estava no Brasil. Fosse como fosse, mais tarde o Governo da Espanha tomou-lhe todos os títulos e confiscou-lhe os bens.

Com a destruição do Guaíra, os jesuítas buscaram um caminho para a fuga. Conseguiram reunir 12 mil nativos e navegaram pelos rios Paranapanema e Paraná. Desses fugitivos, 4 mil chegaram à Argentina, onde se reuniram nas reduções de Nossa Senhora do Loreto e San Inácio. E com esse contingente de guaranis fugitivos aumentariam mais tarde a

demografia da região na qual, em 1634, o padre Cristóbal de
Mendonça introduziu o gado para criação extensiva.

Fernão Dias: caminhos para Minas

Na conquista do Brasil, os mitos se ligaram de alguma forma
à realidade que buscavam, embora de maneira fantástica,
desvendar. Vistos de agora, com séculos de distância, esses
mitos aparecem ao pesquisador como fugidios sinais, miste-
riosos indícios. Mas o certo é que acompanhando a estranha
mobilidade espacial das lendas e informações dos índios, as
intuições e os devaneios dos crentes acabaram, em longa
sequência, por indicar os rumos que levaram às descobertas das minas do rio das Velhas, atual território das Minas
Gerais. Que subsistia a crença de existir prata naquela grande
região prova-o a provisão dada a Garcia Rodrigues, o moço,
que em janeiro de 1702 mandara a Manuel de Borba Gato
acompanhar o mineiro Antônio Borges do Faria, em busca
de minas de prata pelo sertão.[193] Garcia Rodrigues, filho de
Fernão Dias, e Borba Gato, genro do grande bandeirante,
acabaram por encontrar ouro em Minas.

Deu-se, então, a partir dos primeiros decênios do século
XVIII, a grande corrida do ouro com as descobertas nas
Minas Gerais e, pouco depois, também em Goiás. Só a partir
de então, o mito da "serra resplandecente" foi aos poucos
deixando de exercer sua poderosa atração. Só o grande *rush*
poderia, de fato, concluir o exorcismo realizado pelos portugueses no sertão brasileiro.

Como já assinalado, algumas das mais célebres bandeiras
do século XVII nasceram diretamente do estímulo da Coroa.

"Aguilhoando ainda mais a indomável energia dos bandeirantes, foi (a Coroa) que os propeliu às várias expedições famosas, realizadas entre 1672 e 1675." Em 1664, Afonso VI pediu aos oficiais da Câmara e potentados de São Paulo que apoiassem os esforços do paulista Fernão Paes de Barros, escolhido pela metrópole como administrador das minas de Paranaguá e da serra das Esmeraldas. Logo a seguir, Sebastião Paes de Barros saiu de São Paulo, meteu-se interior adentro, varou os sertões do São Francisco e do Piauí, atingindo as cabeceiras do Tocantins e do Grão-Pará, mas "faleceu antes de acabar de concluir com o dito descobrimento". Sobreviventes chegaram ao litoral em fins de 1667. Uma segunda bandeira, também estimulada por esse pedido de Afonso VI, foi a de Manuel Pires Linhares e Lourenço Castanho, que descobriram minas no distrito dos Gataguás, nos anos de 1668 a 1670. Manuel Pereira Sardinha rumou para os sertões de Paranaguá e da Ribeira de Iguape, em 1675, com o descobrimento de importantes minas de ouro de lavagem no atual território do estado do Paraná.[194]

A mais celebre bandeira desse período, também nascida do estímulo da Coroa, foi a de Fernão Dias Paes Leme. Descendente de gente de poder, Fernão Dias gastou na empreitada toda a sua fortuna, considerada por alguns a maior de São Paulo à época. Explorou durante sete anos, entre 1674 e 1681, uma grande área, do sertão de Sabarabuçu até Serro Frio. De sua bandeira nasceram os primeiros arraiais mineiros. O grande bandeirante não encontrou as esmeraldas que buscava, mas abriu os caminhos para a descoberta do ouro das Minas Gerais em uma bandeira de 1674, da qual ainda participaram seu genro Manuel de Borba Gato e seus filhos Garcia Rodrigues e José Paes e que teve Mathias Cardoso de

Almeida como imediato. Fernão Dias morreu no Sumidouro, à margem do rio das Velhas, em 1681, quando levava para São Paulo as pedras verdes, que supunha fossem esmeraldas verdadeiras.

Embora a bandeira de Fernão Dias tenha terminado em fracasso, referem-se a ela direta ou indiretamente as principais contribuições para a conquista das jazidas de ouro nas Minas Gerais. Diz Basílio de Magalhães: "Três sertanistas estabelecem o contato com o período das pesquisas do ouro: Mathias Cardoso pelo estabelecimento franco da estrada que ligou as minas aos curraes de gado do São Francisco, na Bahia; Borba Gato, cujo nome está unido ao devassamento da zona do rio das Velhas: e Garcia Rodrigues Paes, a quem se deve a abertura da via mais rápida das minas com o Rio de Janeiro." Todas essas expedições referem-se à grande bandeira de Fernão Dias. Segundo Basílio, essas expedições foram organizadas com recursos próprios dos paulistas, mas, como ele mesmo assinala, se fizeram "para satisfazerem os desejos reaes...".[195]

Mathias Cardoso acompanhara Fernão Dias em 1674, mas regressara a São Paulo, onde se firmou como tenente-general de dom Rodrigo de Castello-Branco. Em 1689, depois da morte do fidalgo espanhol, ele foi solicitado pelo governador-geral do Estado do Brasil e seguiu para o norte, "em marcha com mais de 500 léguas [3.300 quilômetros] de sertão até o rio de São Francisco".[196] Desde então, combateu os índios até 1694, quando fundou fazendas de criação nas margens do São Francisco.[197]

Dom Rodrigo encontrou-se no arraial de Paraopeba com Garcia Rodrigues Paes, que trazia os ossos de Fernão Dias e algumas pedras verdes, que não eram esmeraldas. O primeiro revelador do ouro mineiro, nessa fase, foi o filho de Fernão Dias. Por ato régio de dezembro de 1683, Garcia foi provido a "capitão-mor da entrada e descobrimento e administrador das minas de esmeraldas que descobrio". Carta régia de novembro de 1697 registra que foi Garcia "o primeiro que descobrio o ouro de lavagem dos Ribeiros q. correm para a Serra de Serababasú" (*sic*). Depois de insucessos que se acumularam por mais de cem anos, os lusos finalmente encontraram, a partir dos fins do século XVII, as tão procuradas minas.

A conquista de Goiás

Depois da guerra dos emboabas (1707-1709), as expedições mudaram de rota, na direção de Mato Grosso e Goiás. Iniciou-se um novo período de bandeirismo: o das monções, expedições de caráter mais comercial e colonizador, em canoas, através do rio Tietê, de Araritaguaba até Cuiabá. Os bandeirantes muitas vezes tinham de carregar as embarcações nos ombros e margear os rios, para evitar as numerosas cachoeiras. Encerrando o ciclo das entradas e bandeiras, destacou-se nas monções a expedição de Bartolomeu Bueno da Silva, o segundo Anhanguera, que saiu de São Paulo em 1722, comandando 152 homens, à procura da serra dos Martírios. Segundo a lenda, a natureza esculpira na serra, e em cristais, a coroa, a lança e os cravos da paixão de Jesus Cristo. Depois de três anos de procura, o sertanista localizou ouro, a 25 quilômetros da atual cidade de Vila Bôa de Goiás, ou Goiás Velho, capital do estado até a fundação de Goiânia.

Em fins do século XVII e inícios do século XVIII, ocorreram em Goiás as entradas dos dois Anhangueras: a de

Bartolomeu Bueno, o pai, em 1682, e a do Anhanguera filho, em 1722.[198] Os Anhangueras eram de origem espanhola, da linhagem iniciada em São Paulo por Bartolomeu Bueno, o sevilhano, que chegou ao Brasil acompanhando seu pai, Francisco Ramires de Porros, na armada de dom Diogo Flores de Valdés. Diz a lenda que, em marcha pelo sertão, o primeiro Anhanguera encontrou-se com índios hostis e na busca de uma forma de contornar a situação ateou fogo na pólvora em uma pequena vasilha que colocou na superfície de um rio. Diante do fogo, que, na aparência, era produzido pela água do rio, os índios passaram a chamá-lo de Anhanguera, "diabo velho". O primeiro Anhanguera notabilizou-se pelas enormes jornadas realizadas em terras hoje mato-grossenses e goianas. Nessas entradas sertão adentro, levava um filho de 12 anos, seu homônimo, que seria o segundo Anhanguera, o glorioso Bartolomeu Bueno, descobridor das minas goianas em 1725.

A descoberta e a ocupação das minas de ouro de Goiás se devem em parte a Bartolomeu Pais de Abreu, um paulista de São Sebastião. Em 1722, ele foi o inspirador e o organizador da bandeira do segundo Anhanguera.[199] Muito moço ainda, foi nomeado capitão de ordenanças de São Sebastião. Devassou o sul mineiro e, finda a guerra dos emboabas, explorou as regiões de Curitiba e de Iguaçu, até a divisa do Rio Grande dos Sul. Abriu estrada de Sorocaba até o rio Paraná, passou ao sul do Mato Grosso e esteve na exploração de Cuiabá.

TERCEIRA PARTE

Senhores e Capitães

CAPÍTULO IX Uma sociedade militarizada

O Brasil formou-se ao ritmo da conquista do território e do extrativismo econômico. No Recôncavo e Olinda, o ponto de partida, centrado na cana-de-açúcar, foi o litoral. Mas minas e a pecuária abriram os caminhos do interior nas demais regiões.

O Brasil com o perfil territorial que conhecemos hoje nasceu da conquista. Formou-se de cima para baixo como se formam os exércitos, a partir dos capitães. As bandeiras expressam o espírito da sociedade militarizada dos primeiros séculos. Como disse Pedro Calmon, em palavras que bem traduzem a sua concepção de historia, "o bandeirismo é a adaptação à luta, ao meio e à vitória, sobre o homem inferior, da cavalaria heroica da Idade Média".[200] Na verdade, e diferentemente do que pensamos hoje, os homens daqueles tempos se acreditavam superiores aos nativos. Quanto aos capitães daqueles tempos eram todos (ou quase todos) místicos e aventureiros, figuras típicas do Renascimento. Reproduziam, como diz Calmon, o espírito da cavalaria heroica medieval. Daí que a desigualdade que manifestaram em face dos índios era para eles uma espécie de segunda natureza.

Nos ambientes europeus em que se formaram, a fé em Deus podia conviver com uma noção de honra e de poder que não excluía a cobiça e a busca do enriquecimento rápido. Foi também assim como nos inícios da sociedade que criaram no Novo Mundo. Sua profunda religiosidade era parte de uma cultura na qual a violência na vida cotidiana e o saqueio na guerra eram recursos habituais. Na última Idade Média, o respeito às tradições se misturava com as ousadias de uma época de mudanças e de conquista do mundo. Já se disse que uma das chocantes contradições desse tempo estava na associação da violência com a generosidade. "Existia uma educação para a agressividade e a vingança fazia parte do código de honra vigente."[201] Seria demasiado admitir que algo desse espírito persiste na história contemporânea da Ibéria e da América Ibérica, inclusive o Brasil?

Estrutura social e poder político

Quais os meios pelos quais os capitães da conquista conseguiram "transformar força em direito e obediência em dever"? Quais os meios pelos quais conseguiram, como os poderosos de sempre, garantir a permanência do sistema de dominação que criaram? Essa pergunta clássica, de Rousseau, foi retomada recentemente por Orlando Patterson em seu monumental estudo sobre a escravidão.[202] Pelo menos na Ibéria e na América Ibérica a religiosidade tem de ser entendida como parte fundamental da resposta. Aqui, um antigo padrão militar e religioso se fundiu na trama do poder político e social. E a desigualdade, tal como concebida na tradição ibérica e revivida na conquista, se inseriu no cerne do poder da nova sociedade.

A "síntese do edifício social" de João Lucio d'Azevedo sobre o Maranhão vale para toda a colônia brasileira, inclusive para o período inicial que examinamos aqui: "Embaixo, a plebe de índios e negros africanos, os primeiros desaparecendo gradualmente ao contato da civilização, os últimos indo fundir-se com os elementos europeu e indígena, para formarem a raça nova (...). Acima deles, os colonos reinícolas e os filhos da terra, *com* igual pendor para a ociosidade e as mesmas pretensões de ascendência heroica e nobre (...); cobiçam debalde os postos elevados do governo, que o ciúme da metrópole reserva aos seus enviados. Esses, no passo mais alto da escala, são os próceres e verdadeiros senhores da colônia."[203] Gandavo ressaltou os mesmos aspectos ao falar da colônia dos primeiros séculos: "Os mais dos moradores têm suas terras de sesmaria dadas e repartidas pelos capitães e governadores da terra." E esses particulares "a primeira cousa que pretendem", além de terras, são escravos "para nelas lhes fazerem suas fazendas". Não precisam de muitos — "dois pares, ou meia dúzia deles" — para poder honradamente sustentar sua família.[204]

Mas lembre-se de que a escravidão convivia não apenas com o latifúndio e com os capitães e governadores e outras formas senhoriais do poder dos delegados da Coroa. Convivia também com a pequena propriedade e algumas formas de trabalho livre, que engendravam complexos mecanismos de dependência social dos homens livres com os senhores da terra. Mesmo os brancos pobres da colônia se comportavam como senhores em face de negros e de índios. Como

ESPADA, COBIÇA E FÉ

disse Saraiva sobre as Índias orientais, também aqui, o mais humilde labrego português queria ser tratado como fidalgo. Em face dos nativos, ser português significava ser superior. O que se diz aqui do português valia também nos outros países ibero-americanos para os espanhóis e outros europeus.

Dominação e produção

Como entender que a conquista tenha criado uma nova sociedade na América Ibérica? É que aqui os mecanismos de dominação não nasceram da produção, mas das lutas pela conquista e da ocupação do território. Aqui, o sistema de produção não antecedeu ao sistema de dominação, mas criaram-se juntos. A dominação apareceu junto com a escravidão, ou com o sistema das *encomiendas* nas colônias ibero-americanas. E serviu diretamente à busca e à exploração das minas, tanto quanto à grande pecuária, assim como ao latifúndio agrícola. Em todas essas atividades, era necessária a conquista, tanto a da terra como a do escravo. E ambos os recursos, a terra e o escravo, foram conquistados quase ao mesmo tempo nos primórdios da colônia.

Gandavo mencionou poucos sinais de riqueza no território escassamente povoado. Nele, como em muitos cronistas, ficou gravada a imagem de uma sociedade de grande rusticidade e pobreza, na qual os casos de riqueza eram excepcionais. As exceções mais notáveis se encontram em Pernambuco, onde no século XVI a busca das minas se combinou com a caça aos índios em entradas que começaram a devassar o território e a abrir caminhos para a pecuária e a agricultura. Segundo Gandavo, nessa região os moradores foram "mui favorecidos e ajudados dos índios da terra, de que alcançarão muitos infinitos escravos com que granjearão suas fazendas".[205]

Também em Pernambuco que foi a capitania de maior êxito agrícola na colonização dos primeiros tempos, se impôs a lógica férrea da conquista. Segundo estudo recente de Bartira Ferraz Barbosa, o donatário Duarte Coelho, chamado por seus contemporâneos "um soldado da fortuna", ocupou a terra "de forma militar, através da guerra". Diz a autora: "A experiência de (Duarte Coelho) ter vivido na Índia durante vinte anos e provavelmente obtido fortuna, pelos sucessos nas guerras em Málaca, na diplomacia na Tailândia, além de ter participado da conquista de Bitam e da descoberta de Cochin, dá-nos a dimensão dessa empresa de colonizar Pernambuco e dos lucros que advieram dela." E prossegue: "a conquista de terras alimentou o crescimento de engenhos e lavouras de cana em proporções aceleradas." E acrescenta: "Em 1570, Gandavo somou 23 engenhos; em 1583 a soma de Cardim chegava a 66; para Campos Moreno, eram 77 em 1608."[206]

Em razão da associação entre os mecanismos de dominação e os meios de produção então emergentes, surgiram em diferentes áreas da colônia portuguesa possibilidades de alguma mobilidade social. Essa mobilidade não se limitava a possíveis estímulos econômicos, ou de mercado, mas dependia diretamente da incorporação eventual de índios e negros aos órgãos de dominação. Desde o século XVI, há exemplos em diversas regiões nas quais os grupos indígenas serviam também como celeiros nos quais os senhores iam buscar elementos para a formação de suas tropas. Fenômeno semelhante de incorporação social ocorreu no século XVII com os negros, em Pernambuco. Na expulsão dos holandeses destacaram-se corpos militares compostos por índios e negros, chefiados por Felipe Camarão e Henrique Dias. Henrique Dias recebeu em 1639, do conde da Torre, a patente de capitão-mor.

Mais adiante, em Minas Gerais, no século XVIII, as tropas formadas por negros serviram à manutenção da ordem, à caça de escravos fugidos e inclusive à destruição de quilombos.[207] Mulatos e negros conquistaram postos de oficiais, o que lhes permitiu alguma afidalgação. Essa ascensão social ocorria, evidentemente, a contrapelo da censura de brancos, pois, na oportunidade, perdiam vigor as antigas prescrições de "sangue limpo" para aquelas funções. Muitos desses chefes negros e mulatos se dedicavam "à repressão aos quilombolas, facinorosos, extraviadores de ouro e diamantes e índios bravos". Seu campo de atuação eram "os matos, as picadas, os caminhos e os rios que cortavam o território mineiro". Quanto aos índios, no século XVI, sabe-se que os morubixabas se destacaram nos combates havidos no nascimento do Rio de Janeiro e nas batalhas em defesa de São Paulo.

Foi esse o início da construção de uma estrutura social que atravessou séculos da história brasileira, baseada na escravidão ou, em qualquer caso, em formas de dominação social apoiadas diretamente na violência. Quem tivesse extensões de terra ou riquezas comerciais era também um "dono do poder", ou seja, detentor das armas e dos cargos da administração, um personagem de algum modo pertencente ao "estamento burocrático".[208]

Nascida da conquista, essa estrutura social projetou-se, em primeiro lugar, na aristocracia da colônia. Em épocas posteriores vieram alguns dos seus desdobramentos, na aristocracia do Império, na "guarda nacional" e no "coronelismo" da Velha República. De um outro modo, a estruturação militar da autoridade permaneceu como dado permanente da memória nacional, através dos *pronunciamientos* militares e das tradições caudilhescas nas quais vem se alimentando o personalismo político característico da política brasileira de todos os tempos.

Bandeirantes, "gente bronca"

Houve quem dissesse que a bandeira era como uma vila se deslocando, tanta era a gente que mobilizava nas atividades diversas em marcha sertão adentro. Cassiano Ricardo, um dos estudiosos que mais se ocuparam desse aspecto, registrou diferentes designações oferecidas por diferentes autores para as bandeiras. João Ribeiro teria denominado a bandeira uma "cidade em marcha". Oliveira Viana a teria chamado uma "nação nômade, solidamente organizada sobre base autocrática e guerreira".[209]

As bandeiras foram tudo isso, mas talvez fosse melhor designá-las pela função essencial que cumpriram naqueles tempos como a *fronteira avançada* da sociedade em formação. Naquela época em que a fronteira da sociedade estava sempre à vista, com todos os seus riscos e perigos, nas vizinhanças das fazendas e das vilas, as bandeiras eram a vanguarda da sociedade na direção do sertão. "Cheguei a uma terra toda em guerra", vale repetir a frase de Mem de Sá em carta ao rei. As bandeiras eram, por assim dizer, a ponta de lança nessa guerra permanente, ou quase permanente. Não ocorria algo de muito diferente nos demais países ibero-americanos.

O romancista Paulo Setúbal (1893-1937), a quem devemos boa parte da memória sobre os antigos paulistas, disse que os bandeirantes, dos quais era um grande admirador, eram "gente bronca, não escreviam jamais". Deve ser verdade, tal é a insistência na rusticidade desses sertanistas pelos mais diversos autores. É a imagem que nos fica também da leitura de *Vida e morte do bandeirante,* de Alcântara Machado.[210] Como eram "gente bronca", boa parte do que sabemos sobre os bandeirantes vem de escritos dos padres e dos burocratas coloniais em seus registros de testamentos, promoções, combates com índios e corsários, concessões de títulos e mercês. Os sertanistas alfabetizados — como Domingos Jorge Velho (1614-1705), que nos deixou algumas anotações sobre a necessidade dos padres nas bandeiras — eram exceção. Outra exceção foi Gabriel Soares de Sousa, que nos legou uma descrição clássica da colônia do seu tempo. Anote-se, porém, que no caso de Domingos Jorge Velho há controvérsias: o bispo de Pernambuco, dom Francisco de Lima, entendia que ele não "se diferenciava do mais bárbaro tapuia", pois não falava o português e necessitava de um "língua" para se comunicar.[211]

Em todo caso, não são exceções na história essa capacidade de ação militar e, ao mesmo tempo, essa marcante ignorância dos conquistadores da América portuguesa. De um modo geral, as novas sociedades — tanto as que surgiram com a Europa no século VIII quanto as que surgiram com a América no século XVI — nasceram de um impulso conquistador. Um caso clássico é o do império de Carlos Magno que, segundo Norbert Elias, "foi plasmado pela conquista". O "rei dos francos", a propósito, também era analfabeto (e, não obstante, deu início ao renascimento carolíngio). Carlos

Magno "premiou com terras os guerreiros que lhe seguiam a liderança", despachando pelo território do Império "amigos e servidores de confiança para fazer cumprir a lei em seu nome". (...) "Os condes, duques, ou como quer que fossem chamados os representantes da autoridade central, tiravam também seu sustento, e o de seus agregados, da terra com a qual os agraciara a autoridade central." Exerciam poderes policiais e judiciários a que "se combinavam funções militares; eram guerreiros, comandantes de grupos mais ou menos marciais e de todos os demais senhores de terra na área que o rei lhes dera, contra qualquer ameaça de um inimigo externo."[212]

Matanças ou doenças?

Os reinos europeus da Idade Média se formaram sobre as ruínas do Império Romano, as sociedades ibero-americanas da época moderna se construíram sobre a derrota dos índios. Sobre os índios estabeleceram os primórdios de uma estrutura escravocrata, à qual foram depois juntados os negros que eram importados da África já como escravos. Nas novas sociedades ibéricas da América manteve-se, assim como na Reconquista da Ibéria, a memória de tradições da Antiguidade que permitiam transformar em escravo o vencido na guerra. Em alguns casos, mais do que a escravização, foi o extermínio, como nas ilhas do Caribe, conquistadas por Colombo e que permaneceram por algum tempo como propriedade de sua família.

O caso do Brasil não chegou a tais extremos, seja pela incapacidade dos dominadores de chegar ao limite de suas pretensões, seja pela resistência das populações autóctones.

Não se chegou, pelo menos para o conjunto do território, ao limite do extermínio. É certo que o padre Antônio Vieira fala do extermínio de cerca de 2 milhões de índios em dois séculos de colonização. Mas alguns autores (por exemplo, Boxer) consideram esse número um grande exagero. Embora estimativas sejam sempre duvidosas em situações como essa, há quem diga que na época dos descobrimentos a população indígena do Brasil estaria abaixo dos 2 milhões de habitantes. Em todo caso, mesmo admitindo que não tenha havido um extermínio dos índios em geral, o certo é que a violência foi a regra.

Como diz John Hemming, embora a conquista colonial do Brasil tenha sido frequentemente brutal, "o objetivo final dos colonos e missionários era mais subjugar do que destruir os índios. Os colonos queriam a mão de obra indígena e os missionários queriam convertidos". Em vez da tese de um extermínio dos índios por ação militar dos lusos, Hemming acredita muito mais no poder destruidor das doenças que os portugueses, involuntariamente, trouxeram para a América. "Foi a doença que aniquilou os índios."[213]

Assim como seus precursores da Idade Média e da Reconquista, os conquistadores do século XVI usaram da força bruta para fazer a *tabula rasa* onde escrever a sua própria história. Como afirma Jorge Caldeira, "todo o espaço da economia colonial se moldou sobre a obtenção de escravos nativos". E a escravidão foi aos poucos se generalizando para todas as áreas do território tomadas pelos conquistadores. A escravização de nativos aconteceu em todos os pontos e períodos do Brasil colonial, com as fronteiras do sertão sendo levadas para o interior a partir de quatro pontos de irradiação (Belém/São Luís, Olinda, Salvador e São Paulo).

Já no início do século XVII, havia contatos entre todos esses pontos pelo interior.[214]

Uma peculiaridade importante da escravidão moderna das colônias é que essa se iniciou na mesma época em que terminava na Europa a escravidão antiga. Como diz Jerome Baschet, a escravidão antiga já se achava ao fim de um longo declínio na Europa dos séculos XV e XVI. Na Europa de fins da Idade Média continuava a existir a escravidão doméstica nas cidades do Mediterrâneo, mas havia cessado de existir "a escravidão que constituía a base da produção agrícola no Império Romano".[215] No entanto, na América Ibérica surgiram a partir do século XVI sociedades marcadas pelas leis das *encomiendas* e, no caso do Brasil, pelo escravismo encimado pelo senhorialismo ibérico.

Como a Ibéria de após o século XI, a sociedade que começou a formar-se na América envolvia também trabalhadores livres. Além de escravos e proprietários de escravos, havia aqui também numerosos agregados e trabalhadores dependentes, além de contingentes de profissionais "mecânicos", que, no caso do Brasil, começaram a chegar com Tomé de Sousa em 1548, numa comitiva de centenas de artesãos, capatazes, soldados e degredados. Os livres podiam ser brancos e mestiços, havendo também entre eles muitos negros, parte dos quais podia ter os próprios escravos. Oliveira Marques anota que "as poucas estatísticas existentes sugerem que viviam no Brasil, por 1570, 2 mil a 3 mil negros, número que subira para 13 mil a 15 mil por volta de 1600".[216] A participação dos índios — escravos, forros ou livres — é mais difícil de estimar, mas pode-se admitir que nos primeiros séculos era maior do que a dos negros. Sabe-se de entradas e bandeiras nas quais os índios "descidos", e provavelmente escravizados, alcançaram as centenas e, mesmo, milhares. Estima-se que em algumas reduções jesuíticas, as populações indígenas alcançariam dezenas de milhares.[217]

Brancos, negros e mulatos: miscigenação

Tem um tanto de verdade e outro tanto de preconceito a célebre frase atribuída a Antonil, segundo a qual a colônia "era inferno dos negros, purgatório dos brancos e paraíso dos mulatos". Essa frase, aliás, não é do próprio Antonil, mas era voz comum na colônia do século XVII e foi registrada por ele.[218] Talvez fosse mais verdadeiro afirmar que, pelo menos nos séculos XVI e XVII, a colônia não era paraíso para ninguém. Em todo caso, não era um paraíso para os mulatos e com certeza era um inferno para os escravos, índios ou negros. Talvez fosse, na melhor das hipóteses, um purgatório para mestiços, ou seja, para mulatos ou mamelucos. Quanto aos imigrantes brancos, e livres, que tenham se incorporado à colônia na esperança de uma vida melhor, eles tinham sobre os demais pelo menos a vantagem de não terem sido incorporados à força.

A imagem do paraíso para os mulatos faz homenagem a uma forte tendência à miscigenação, já visível no século XVI, e ainda mais evidente no século XVII. Mas a verdade é que os mestiços, seja de origem indígena ou negra, durante muito tempo foram maltratados pelos brancos, por meio de insultos e alusões explícitas de inferioridade. No caso dos mamelucos, alusões inferiorizantes chegaram até o século XVIII. Quanto aos mulatos, as discriminações continuaram fortes até as primeiras décadas do século XX. Levou muito tempo para que se apagasse neles, ou pelo menos atenuasse, a humilhação das raízes.

Embora a colônia tenha sido desde o início marcada pela escravidão, os livres, brancos e mesmo negros, cresceram ao longo da história. Segundo Herbert S. Klein, no início do século XIX o Brasil possuía a maior população livre de cor de todas as sociedades escravistas da América. Na época do primeiro censo nacional brasileiro, em 1872, havia 4,2 milhões de pessoas de cor livres e 1,5 milhão de escravos. As pessoas de cor livres não apenas ultrapassavam em número os 3,8 milhões de brancos, mas também representavam 43% da população brasileira, de 10 milhões de habitantes. Por outro lado, o número de proprietários de escravos poderia ser estimado em 220 mil, ou seja, apenas 9% do total de homens livres. Significa dizer que, no último período da colônia, 91% dos homens livres não eram proprietários de escravos. Esse grupo de homens livres representaria uma maioria equivalente a 62% da população total (excluindo-se os índios).[219]

Embora os brancos pobres e os mestiços fossem muito numerosos, a escravidão de índios e de negros teve significação estratégica para a colônia e mesmo para o país independente. Foi a grande questão econômica, social e moral dos séculos XVI e XVII e continuou a ser o grande tema histórico dos séculos XVIII e XIX. Do mesmo modo, como já previra Joaquim Nabuco na campanha abolicionista, a "obra da escravidão" — como ele designava suas consequências em termos de miséria, enfermidades e carências educacionais — deveria marcar o Brasil do século XX.

Nessa estrutura social de extrema rigidez, é possível reconhecer, como observou Gilberto Freyre, que os escravos domésticos possam ter tido a sua desgraça atenuada por alguma proximidade afetiva com a família senhorial. Mas esse reconhecimento não nega a realidade de uma violência que oferecia o fundamento sólido da dominação. Orlando Patterson assinalou que a violência se impunha nos regimes escravocratas em razão da necessidade vivida pelo senhor de recrutar sempre novos escravos, como se fosse uma permanente operação de "resgate". Quanto aos índios, a possibilidade de fuga era constante, obrigando os senhores a uma permanente substituição de escravos fugidos, e punha-se à prova a todo momento a capacidade de domínio do senhor.

Talvez o atributo mais característico da impotência do escravo fosse o fato de que a escravidão sempre se originou (ou foi concebida como tendo se originado) de uma alternativa à morte, em geral violenta. "A escravidão não era um perdão; era, particularmente, uma permuta condicional. A execução era suspensa enquanto o escravo concordasse com sua impotência."[220]

Degredados e imigrantes

Na passagem do século XIX para o XX, alguns intérpretes procuraram identificar nos séculos XVI e XVII as origens de uma degradação inapelável da sociedade. Exemplo notável dessa propensão é o *Retrato do Brasil*, de Paulo Prado, livro pessimista e brilhante, para o qual os inícios da colonização comprometeram o país em formação. Paulo Prado entendeu o descobrimento e a conquista não pelo ângulo da audácia e agressividade dos conquistadores, mas de um amolecimento das elites lusas e também de uma lamentável e inata debilidade dos povos que primeiro usaram para a colonização.

Ele entendia que no século XVI já começava a desaparecer o português "fragueiro, abstêmio, de imaginação ardente, propenso ao misticismo", que criara o tipo perfeito do "homem aventureiro, audacioso e sonhador, livre". Temas dominantes do autor são a luxúria, a cobiça e a tristeza, qualidades negativas do Brasil nascido do português, do índio e do negro, que ele chamava as "três raças tristes".[221]

Paulo Prado é um exemplo entre outros desse pessimismo histórico que se alimentou com frequência de dados interpretados sem maiores cuidados de autores possivelmente frustrados com o cenário político do país do seu tempo. A participação dos degredados nos primeiros tempos da colônia é um exemplo de uma espécie de criminalização das origens do país que deixou na penumbra a parte que coube à nobreza e à gente comum do povo. Esse pessimismo sugeriu imagens do futuro que passaram a ser construídas sobre as veleidades do sonho ou, alternativamente, sobre as sombras do pesadelo. É preciso começar o país de novo ou, então, será o caos.

Alguns dos nossos melhores pensadores nos habituaram à ideia de um futuro que teria de ser apoiado em uma "refundação da sociedade". Havia que fazer *tabula rasa* do existente, seguir a miragem de uma grande ruptura com o passado para construir um novo país. Essa maravilhosa ruptura, porém, não ocorreu nunca. Tem servido apenas para obscurecer as pequenas rupturas, reais, mas jamais reconhecidas em seu pleno significado para a mudança do país.

A imagem da degenerescência das origens levou a exageros na apreciação de certos dados históricos. No início da colônia, dom João III declarou as capitanias do Brasil como território de "asilo, couto e homizio garantido a todos os criminosos que aí quisessem ir morar, com a exceção única

dos réus de heresia, traição, sodomia e moeda falsa".[222]
Significava que seria uma região do império na qual qualquer crime cometido anteriormente em outros lugares ficava
prescrito e perdoado (é claro, com as exceções mencionadas).
Já mencionamos, daqueles mesmos anos, a carta na qual o
padre Nóbrega pedia ao rei que enviasse mulheres, mesmo
que "não fossem direitas", para viver na colônia, "porque
logo achariam marido". Sempre seria possível imaginar que
iniciativas como essas eram formas pelas quais a Coroa e a
Igreja buscavam estimular a ocupação do território. Mas uma
interpretação abusiva passou a considerar como decaídos ou
degredados todos (ou quase todos) os que vieram, mesmo os
imigrantes que queriam uma vida melhor.

Além de apoiar-se em evidências muito frágeis, as imagens
tão frequentes de uma degenerescência das origens deixam de
considerar os possíveis efeitos na metrópole de uma época
de intolerância e rigidez na catalogação dos degredados. É
bem provável que muitos desses fossem dissidentes políticos
e religiosos, pois, na época, Portugal e Espanha passaram a
expulsar judeus, mouros e todos quantos se achassem menos adaptáveis às rígidas regras da tradição. Não se poderia
considerar que muitos dos que escolhiam o degredo eram,
na verdade, perseguidos pela Inquisição e por um poder
fanatizado pela "limpeza do sangue"?

A verdade é que se sabe muito pouco sobre os degredados.
Sabe-se, por exemplo, que dois deles foram mencionados
na Carta de Caminha. Há ainda entre os historiadores
referência a centenas de outros que teriam chegado à Bahia
em 1549, com Tomé de Sousa, que era acompanhado de
"elevado número de artífices (pedreiros, canteiros, carpinteiros, calafates, marceneiros, tanoeiros, serradores, ferreiros,

fundidores etc.), cerca de seiscentos colonos e homens de armas (soldados, bombardeiros, besteiros e trombetas) e quatrocentos degredados".[223]

Não há que surpreender o elevado número de menções às profissões "mecânicas". Preconceitos muito antigos contra o trabalho manual contribuíam para tal. "Desde a Antiguidade existia uma relação direta entre a condição servil e a prática dos ofícios mecânicos considerada degradante. A sua exclusão em matéria de propriedade encaminhava-os para o artesanato."[224] No meio da pequena população que chegou com o primeiro governador-geral, se achavam o primeiro médico e o primeiro farmacêutico da colônia, centenas de funcionários da Coroa e os jesuítas sob comando de Manuel da Nóbrega. Mas pouco se sabe sobre as atividades dos degredados. Quantos dentre eles seriam artífices, militares e funcionários? Ou não tinham profissão nenhuma? Sabe-se menos ainda sobre os crimes que os levaram ao degredo.

Em fins do século XVI, meio século depois da chegada do primeiro governador-geral, uma Visitação do Santo Ofício produziu um *Relatório* que, em se tratando de obra da Inquisição, é mais interessante pelo levantamento das profissões e atividades sociais do que pelos pecados e crimes dos indigitados. O *Relatório*, que se concentra na Bahia, menciona representantes de diversas atividades: alfaiates, mestres de açúcar, sapateiros, mercadores, fazendeiros, um cirurgião d'El Rei, um almocreve, costureiras, marinheiros, carcereiros, estalajadeiros, carpinteiros, cozinheiros, um capitão, feitores, um almotacé, licenciados em artes, mercadores, ourives de prata, um contador da Fazenda, pedreiros, carpinteiros de engenho, ferreiros, cônegos, escrivães, meirinhos, carpinteiros de navios, um estudante, capelães, taverneiros, lavradores, pescadores, barqueiros, caldeireiros, um tecelão de toalhas, um cirurgião, entre outros. Mencionam-se também escravos, mestiços, mamelucos, holandeses, ingleses, franceses, castelhanos etc. É certo que são também mencionadas pessoas cujas opções religiosas eram passíveis de controle e repressão, como judeus, luteranos etc.[225] Mas quem, com olhos de hoje, lê o *Relatório* fica mais com a impressão da ampla diversidade profissional de uma colônia nascente do que com a imagem de um ajuntamento de degredados e pessoas social e moralmente decaídas. A variedade de profissões dessa relação é indício seguro de que nos primeiros tempos a colônia exercia atração sobre europeus que queriam emigrar.

A ênfase exagerada de muitos autores nos degredados sugere que a colônia foi, no século XVI, um fracasso. Na verdade, são conhecidos casos de êxito e de fracasso entre os donatários que compareceram para administrar a capitania que lhe fora doada pela Coroa. Vasco Coutinho, com ampla folha de serviços nas Índias, juntou toda a sua riqueza em Portugal e assumiu a sua capitania, onde morreu, 25 anos depois, derrotado e pobre. Martim Afonso de Sousa permaneceu uns poucos anos na colônia, mas saiu daqui vitorioso, designado para as Índias, onde se tornou governador-geral. Seu irmão, Pero Lopes de Sousa, foi um dos primeiros a explorar as profundezas do sertão, que percorreu em cerca de 750 quilômetros. Ficou por aqui alguns anos mais, para depois engajar-se na marinha lusa, onde realizou brilhante carreira. Os filhos de João de Barros (1496-1570), tesoureiro da Casa da Índia, historiador das *Décadas da Ásia,* não conseguiram nem mesmo chegar à capitania doada a seu pai. Suas naus naufragaram ao se aproximar do norte do Brasil. Duarte Coelho, filho de Gonçalo Coelho, que serviu nas Índias sob Vasco da Gama e Afonso de Albuquerque, é o caso mais notável de êxito. Fundador de Olinda e de Igaraçu, teve intenções de descobrir minas, mas acabou ficando com a cultura da cana e a produção do açúcar.

Houve, é certo, o fracasso de boa parte das capitanias hereditárias, como resultado da resistência dos índios e do absenteísmo de diversos donatários. Mas o que muitos pretendem sugerir com a menção aos degredados é que não haveria em Portugal muita gente interessada em emigrar para o Brasil. Não é isso, porém, o que sugerem as informações disponíveis sobre o desempenho econômico da colônia no primeiro século. Roberto Simonsen estimou para os anos de 1560 e 1570 que haveria sessenta engenhos de açúcar na época em oito capitanias que alcançariam uma população superior a 17 mil habitantes. João Pandiá Calógeras estimou para o conjunto da colônia do ano de 1583 uma população com 25 mil brancos, 18 mil índios "civilizados" e 14 mil escravos negros.[226] Esses números teriam dobrado no século XVII. Outras estimativas asseguram que cerca de 100 mil portugueses tenham migrado para o Brasil nos séculos XVI e XVII.

Essas estimativas, como quaisquer outras sobre o período, sempre oferecem espaço para dúvidas, mas também sugerem ordens de grandeza muito maiores para os primeiros tempos do que seria de imaginar para a colônia fracassada que insinuam alguns. Tais estimativas sugerem ainda que não se pode minimizar a atração da emigração sobre os portugueses e europeus de outras nacionalidades. Difícil imaginar que esse crescimento da economia e da população pudesse ocorrer apenas, ou mesmo majoritariamente, com degredados. O fato mesmo de que a economia se baseasse no trabalho escravo de índios e de negros faria supor, da parte dos brancos, uma adesão à ordem que seria difícil de supor apoiada majoritariamente em homens marcados pela condição do degredo. Embora em seus inícios, o crescimento da economia e da população nesses primeiros séculos contou com a participação da gente comum do povo que buscou no Novo Mundo a possibilidade de uma mudança de vida. Aqui, como em geral nesta parte do mundo, a América era o sonho de riqueza de muitos pobres da Europa. E também, por certo, de nobres que aqui buscavam poder e enriquecimento.

A emigração que começou no século XVI, como observou Boxer, aumentou na segunda metade do século XVII, "depois da recuperação de Pernambuco, ao fim da guerra holandesa". É ainda Boxer quem diz: "embora fosse o Brasil afetado pela depressão econômica dos últimos anos da década iniciada em 1670, uma testemunha ocular da Bahia conta que todos os navios chegados do Porto e das ilhas atlânticas da Madeira e dos Açores traziam, pelo menos, oitenta camponeses para o Novo Mundo. (...) Vários escritores da época, evidentemente com a intenção de estimular emigrantes em potencial, pintavam o Brasil como um paraíso terrestre, de eterna primavera, onde o clima, a paisagem, os produtos e a fertilidade do solo mostravam-se, todos, vastamente superiores aos da Europa."[227] O grande salto na imigração vem depois disso. Se nos séculos XVI e XVII a emigração portuguesa teria alcançado 100 mil, no século XVIII esse número teria chegado a 600 mil.

CAPÍTULO X Nobreza da terra

O aventureiro foi o tipo social dominante da colônia, observou Sérgio Buarque de Holanda em *Raízes do Brasil*. O emigrante, ainda na metrópole, antes da partida, pressentia o sopro incerto de uma vida aventurosa. Nem nobres nem plebeus pensavam no trabalho duro, que deveria ficar para índios e negros. Em vez do trabalho moroso e sistemático, apostava-se no golpe de sorte, no salto que, de um momento para outro, abriria o caminho da riqueza e do poder. Mas o emigrante sabia também que o sonho de enriquecer e de mudar de vida envolvia riscos maiores do que estariam dispostas a correr as personalidades mais acomodadas. A aventura só tinha sentido para quem tinha coragem e estava disposto a enfrentar riscos, até mesmo o da própria vida.

Não sem razão, a Coroa concedeu aos donatários das primeiras capitanias mais direitos e prerrogativas do que os concedidos aos que, um século antes, se dispuseram a aventurar-se na ilha da Madeira.[228] A Coroa e os nobres sabiam que na América estariam entrando num mundo de grandes incertezas. Esse conhecimento que as elites possuíam desde as aventuras na África e nas Índias orientais se comprovou nas difíceis experiências enfrentadas na América pelos capitães donatários. Comprovou-se também nas muitas aventuras que acompanharam as sesmarias que viriam depois. Embora tenham afinal se firmado como base do sistema institucional da colônia, as sesmarias envolviam apreciáveis riscos econômicos e militares que nunca deixaram de ser parte da vida dos conquistadores e dos povoadores.

Parentes nas bandeiras

O padrão definido pelas famílias dominantes quanto à organização do poder se estendia a outras atividades na sociedade. Muitas bandeiras famosas refletiram uma predominância de critérios familiares, pelo menos entre os chefes e principais líderes. A frequência dos parentes é bastante visível em alguns casos mais conhecidos: Manuel Preto e Sebastião Preto eram parentes; os dois Anhangueras eram pai e filho; Fernão Dias era acompanhado por dois filhos e um genro, Manuel Borba Gato; a obra de Fernão Dias foi continuada por seu filho, Garcia Rodrigues; as tentativas de Marcos de Azeredo foram continuadas por seus descendentes; são conhecidos os vínculos de parentesco de João Soares, Gabriel Soares e o Moribeca e seguidores.

Entre os sertanistas e bandeirantes os nomes e sobrenomes se repetem. Por exemplo, no *Dicionário* de Carvalho Franco, aparecem 14 sertanistas com o sobrenome Bueno; 23 bandeirantes são Preto; 42 são Leme; 32 são Prado; 15 são Lobo; os Sá chegam a 19; 12 são Rocha etc. Nem todos os portadores de determinado sobrenome são da mesma família, mas a probabilidade maior é a de que assim seja. Há muitos exemplos a sugerir que a frequência de parentes nas bandeiras refletia um padrão da estrutura familiar na sociedade.

Em geral, os bandeirantes se faziam acompanhar dos filhos, genros e cunhados. Quando pai e filho tinham o mesmo nome — o que era muito frequente — havia que distingui-los de alguma forma. Em muitos casos, distinguia-se o "pai" chamando-o "velho" e o filho chamando-o "moço", como no caso dos Affonso Sardinha. Com frequência as famílias senhoriais repetiam (muitas ainda o fazem) o prenome para uma sequência de descendentes, pais, filhos, netos, bisnetos etc. Às vezes se torna difícil ao leitor das histórias desse tempo saber de quem se trata. Exemplos notórios são os diversos Jerônimo de Albuquerque, os Salvador de Sá e Benevides e os Bartolomeu Bueno, todos nomes importantes da história do nordeste, do Rio de Janeiro e do centro-oeste, respectivamente.

Como observou Gilberto Freyre, a família patriarcal tornou-se um paradigma para toda a sociedade, nas pegadas de um modelo que vinha diretamente da Ibéria. Os parentes e agregados juntam-se com frequência nas bandeiras. Na famosa bandeira de Raposo Tavares ao sul, temos as seguintes menções familiares: Antônio Raposo Tavares, seu irmão Paschoal e seu sogro Manuel Pires, esse com dois ou três filhos; Simão Álvares e quatro filhos; Fernando de Mello e seu genro; Balthazar Moraes e dois genros; Simão Jorge e dois filhos; Onofre Jorge e um filho; Antônio Bicudo, o Velho; Francisco Proença e dois filhos; Matheus Netto e dois filhos; Amaro Bueno (filho de Amador Bueno, então ouvidor em São Paulo) e um genro; Francisco Roldão e seus irmãos

Jeronymo e Francisco Bueno; Calixto da Motta e seu irmão
Simão da Motta; Antônio Luís da Grã com um filho e genro;
Bernardo de Sousa e cunhado; Antônio Raposo, o Velho,
com seus filhos João Estevam e Antônio; Pedro Madeira e
um filho; Gaspar Vaz e seu genro; Baltazar Lopes Fragoso
e um cunhado.[229] Outros nomes da lista são os de Antônio
Pedroso, Manuel Morato, Manuel de Melo Coutinho, Pedro
Moraes, Diogo Domingos Salamanca, Francisco de Lemos,
Pedro Coutinho, Gaspar da Costa, Ascenço Ribeiro, Manuel
Macedo, André Furtado Peixoto, Salvador de Lima, Gonçalo
Pires, Antônio Lopes, Antônio Bassão, Silva Sirgero, Sebas-
tião Preto, Estevam Sanches, Ascenço de Quadros e Manuel
Álvares Pimentel.

A exemplo dessa grande bandeira de Raposo Tavares, as
funções de comando na sociedade se organizavam como extensões de redes de parentesco. Os critérios eram semelhantes
aos nomes, várias vezes mencionados neste livro, dos Coelho
e dos Albuquerque, de Pernambuco; dos Caramuru (incluindo os d'Ávila), da Bahia; dos Sá, no Rio de Janeiro; e dos
parentes de João Ramalho, em São Paulo. Já mencionamos
em outro capítulo deste livro o nome de dom Francisco de
Sousa (1540-1611), nobre português de família ligada a Filipe
II, de Espanha, e benfeitor da Companhia de Jesus. Quando
faleceu dom Francisco, em 1611, tomou posse seu filho dom
Luís "por estar ausente na Europa seu irmão dom Antônio
de Sousa".[230] Afinal as coisas se resolviam em família. Na
administração da colônia como na organização do poder
na sociedade, na ausência de um irmão serve o outro. Será
muito diferente no Brasil de hoje?

Na administração da colônia, as famílias dominantes se
confundem com os representantes do poder real. Na socie-

dade, sobretudo nos assuntos relativos a dinheiro, tendem a confundir-se o público e o privado. É o que exemplifica o caso de capitão Jerônimo Leitão que governou a capitania de São Vicente de 1579 a 1592. Em Jerônimo Leitão, o sertanista e o representante oficial (da Câmara) se reúnem na mesma pessoa. Ele era irmão do segundo bispo do Brasil, dom Pedro Leitão (1558-73), e amigo do padre Anchieta. Mas seus vínculos oficiais com a administração e seu parentesco e amizade com membros da Igreja não o impediram de ser ao mesmo tempo um importante sertanista. Como era comum na época, alguns dos membros de sua bandeira obtiveram sesmarias como prêmio por sua participação.

Nobres e plebeus

Embora se saiba que muitos imigrantes proclamavam a ilusão de uma fidalguia que não possuíam, também é certo que a história da conquista registrou muitos nomes da nobreza, grande ou pequena, tanto entre portugueses quanto entre espanhóis, italianos e franceses. Algum atributo de nobreza foi traço comum aos nomes mais conhecidos, a começar pelos descobridores que chegaram até o Brasil. Eram às vezes de pequena presença na colônia, mas sempre de enorme significação histórica, como Duarte Pacheco Pereira, Américo Vespúcio, Pedro Álvares Cabral, Gonçalo Coelho ou Cristóvam Jacques. Bartolomeu Dias, o navegador que primeiro venceu o cabo das Tormentas no sul da África, esteve por aqui na frota cabralina. Juan Díaz de Solís, o descobridor do rio da Prata, nasceu em Portugal de pais espanhóis e fez carreira na Espanha acompanhando Colombo e Pinzón. Depois caiu nas graças de Fernando, o Católico, de Castela, e sucedeu a Vespúcio como navegador-mor do monarca.

Antônio de Ataíde, conde da Castanheira, figura da casa de dom João III, elaborou o plano das capitanias hereditárias que distribuiu entre os amigos do rei. Entre os primeiros donatários se encontram nomes com ampla folha de serviços prestados nas Índias, como Martim Afonso de Sousa (que ficou com São Vicente), Pero Lopes de Sousa (Santana, Santo Amaro e Itamaracá), Pero Gois da Silveira (Paraíba do Sul), Vasco Fernandes Coutinho (Espírito Santo), Pero de Campos Tourinho (Porto Seguro), Jorge Figueiredo Correia (Ilhéus), Francisco Pereira Coutinho (Bahia), Duarte Coelho (Pernambuco), António Cardoso de Barros (Ceará), João de Barros, Aires da Cunha e Fernando Álvares de Andrade (da baía da Traição até o Amazonas). Também eram membros da nobreza Tomé de Sousa, Duarte da Costa e Mem de Sá e os demais governadores-gerais que os sucederam. Do mesmo modo, eram nobres os padres Manuel da Nóbrega, José de Anchieta e Luís da Grã. O padre Azpilcueta Navarro era sobrinho de Martín de Azpilcueta, um notável humanista da Universidade de Coimbra.

Se alguns vieram como nobres, outros aqui conquistaram seus títulos, chegando mesmo a se tornar fundadores de linhagens aristocráticas. O Caramuru e João Ramalho são exemplos particularmente notáveis, pois, aos olhos de alguns intérpretes da história do Brasil, contribuíram para formar uma nobreza e, além disso, como ex-degredados, deram um toque de verossimilhança à tese de uma degenerescência que já viria das origens do país. É também mencionada com frequência a figura, mais ou menos misteriosa, de um bacharel português, judeu convertido, desterrado em Cananeia, no litoral sul de São Paulo, onde foi encontrado por Diogo Garcia e, depois, por Martim Afonso. Casou-se com uma índia, como era usual na época. Era chamado o "bacharel de Cananeia", que alguns historiadores asseguram ter sido o primeiro europeu a se estabelecer no Brasil.

João Ramalho, talvez o mais notável entre os sertanistas do século XVI em São Vicente e no planalto de Piratininga, fundou a vila de Santo André da Borda do Campo. (São Paulo foi fundado pouco depois pelos jesuítas.) Era plebeu de origem, como Diogo Álvares, o Caramuru, que nasceu em Viana do Castelo. Diogo Álvares tinha 17 anos em 1510, quando sobreviveu ao naufrágio do navio em que se achava na entrada da baía de Todos os Santos. Sobre ele, corre a lenda de que teria, em certo momento, dado um tiro de bacamarte para o ar para defender-se dos índios que se aproximavam. Com esse tiro matou um pássaro que por ali passava, o que lhe atribuiu grande prestígio entre os índios. Daí o apelido que lhe deram, Caramuru, "o filho do trovão". Fez-se amigo do chefe tupinambá e casou-se com uma das filhas deste, chegando a adaptar-se à vida local e a agrupar em torno de si algumas dezenas de nativos. Tanto João Ramalho quanto Caramuru foram inestimáveis no apoio aos portugueses que chegavam à costa do território mal conhecido, se não quase totalmente desconhecido. Caramuru ganhou uma sesmaria do donatário Francisco Pereira Coutinho e, em dada oportunidade, mereceu os agradecimentos do padre Manuel da Nóbrega por fazer a paz com os índios.

Nem todos os aventureiros, plebeus ou nobres, eram portugueses. Era plebeu o soldado alemão Ulrico Schmidel, que permaneceu em viagem na América durante vinte anos, tendo iniciado sua aventura ao tomar, mais ou menos ao acaso, um navio em Lisboa, para dirigir-se a São Vicente, onde em 1534 tomou o rumo do Prata e, depois, o do Paraguai. Era nobre o espanhol Alvear Nuñez Cabeza de Vaca, que participou da expedição de 1527 de Pánfilo Narváez, que estava em Cuba como *adelantado*, um delegado da Coroa espanhola para funções administrativas e 'udiciais em suas colônias. Foi enviado pela Coroa ao México para combater Hernán Cortéz, outro nobre aventureiro. A criação dos *adelantados* é da Espanha do século XIII e passou da península para a América.

Narváez naufragou nas costas da Flórida, mas Cabeza de Vaca sobreviveu e com três outros companheiros viveu durante anos no meio dos índios apalaches. Conseguiu retornar ao México, e depois à Espanha, tendo regressado em 1541 para a América. Trazia dessa vez um título de *adelantado* que lhe fora conferido pela Coroa espanhola, com o qual partiu de São Vicente para o Paraguai. Outro plebeu alemão, Hans Staden, esteve em 1548 em Pernambuco, onde ajudou Duarte Coelho a se defender de um cerco indígena em Igaraçu. Depois disso, esteve na capitania de São Vicente, onde foi aprisionado pelos tupinambás. Aristocrata era também o inglês Anthony Knivet, que em fins do século XVI esteve no Brasil com o pirata Thomas Cavendish e foi abandonado em São Sebastião, onde foi aprisionado e feito escravo por Martim Correa de Sá.

Os nomes que se mencionam acima alcançaram notoriedade pelo desempenho em suas aventuras americanas, mas não são exceções. Ao contrário, podem ser tidos como exemplares de um tipo muito comum de aventureiro, bem como dos primeiros conquistadores e povoadores. Segundo Carvalho Franco, o pai de Bartolomeu Bueno, o primeiro Anhanguera, era Francisco Ramires de Porros, de origem espanhola. Era analfabeto, carpinteiro e foi um "terrível escravocrata". Fundou a família dos Bueno de São Paulo, proprietários de terras em Parnaíba e Atibaia, dentre os quais vários bandeirantes.

Era frequente nessa época de crise e renascimento que o espírito de aventura contaminasse todos ou quase todos. Não apenas os plebeus, que buscavam melhorar de vida, mas também os nobres, grandes e pequenos, que queriam acrescentar riqueza e poder. Na verdade, talvez fosse mais característico dos nobres, sempre no comando ou em luta pelo comando.

Na colônia, há muitos casos de nobilitação de plebeus e mesmo de índios. Há também exemplos de reabilitação de nobres que começaram a vida de maneira mais ou menos desregrada, segundo os critérios morais da época. Bastante conhecido é o caso de Antônio de Proença, natural de Belmonte, moço da câmara do infante dom Luís, que foi degredado no Brasil "por ter no reino raptado certa religiosa".[231] Casou-se em São Paulo, em 1564, com a filha de um fidalgo português. Em 1575, lutou em Cabo Frio contra os franceses e os tamoios. Homem de confiança de Jerônimo Leitão, governador de São Vicente, foi eleito meirinho, e também vereador, além de ouvidor e auditor da capitania. Em 1595, foi capitão das entradas em São Paulo, estimulado por dom Francisco de Sousa.

Portugueses, espanhóis e os outros

Em geral, os nomes de nobres que criaram linhagens coloniais são de portugueses. Mas há também exemplos de italianos que criaram importantes linhagens brasileiras. Os Adorno, por exemplo, eram nobres ligados aos duques de Gênova e em 1528 foram apeados do poder pelos Doria e emigraram para várias partes da Europa. Alguns deles foram para Portugal e para a Madeira, onde entraram no negócio do açúcar.

Em 1533, Giuseppe Adorno estava em Santos, onde ergueu um engenho, um dos três primeiros da capitania (os outros dois eram dos fidalgos Martim Afonso e Pero de Goes). Giuseppe foi também proprietário de terras (algumas das quais doou à Companhia de Jesus) e teve muito filhos que se espalharam por São Paulo, onde estiveram José, Antônio, Diogo e Rafael, e pela Bahia, onde estiveram Álvaro Elias, Afonso, Gaspar, Paulo e João. Um dos Adorno casou-se na Bahia com uma filha de Caramuru, dando origem a uma linhagem de mamelucos, alguns dos quais com grande presença nas bandeiras.

Dentre os italianos, outro caso conhecido é o dos Cavalcanti, família de nobres florentinos que se estabeleceu em Pernambuco nas primeiras décadas do século XVI e se espalhou por várias regiões da colônia, especialmente no Nordeste. Filippo Cavalcanti (1525-1614) casou-se com Catarina de Albuquerque, filha de Jerônimo de Albuquerque e Maria do Espírito Santo Arcoverde, filha do cacique Arcoverde, dos índios tabajaras. Filippo, que aportuguesou o nome para Felipe, foi capitão-mor governador de Pernambuco de 1589 a 1590 e combateu os índios das vizinhanças para a completa conquista da região.

Já no século XVII, um caso notável de aventureiro luso de origem plebeia é o de Manuel Nunes Viana, que, vindo de Viana do Castelo, chegou à Bahia ainda jovem, como caixeiro de loja. Obteve do governador da região das minas gerais algumas cartas de favor para o sertão e conseguiu lavras de ouro em Caetés e Catas Altas. Foi também procurador de Isabel Guedes de Brito, filha do mestre de campo Antônio Guedes de Brito. Tornou-se grande fazendeiro de gado no rio São Francisco e chegou a se tornar o primeiro governador eleito da região das minas gerais, na passagem do século XVII para o XVIII. Nunes Viana foi o principal chefe dos emboabas nas lutas contra os paulistas chefiados por Manuel Borba Gato.

Historiadores espanhóis falam de uma maior participação na conquista dos países ibero-americanos de "particulares", em especial de plebeus, diferentes dos íntimos da Corte. Talvez o maior de todos esses aventureiros tenha sido Cristóvão Colombo, embora recentemente tenham surgido muitas dúvidas sobre a condição plebeia do Grande Almirante. Entre os casos mais característicos menciona-se o nome de Francisco Pizarro, que alguns historiadores designam como "um criador de porcos da Estremadura", para acentuar suas origens plebeias. É uma alegação polêmica e controversa porque, no fim das contas, Pizarro teve suficientes contatos em Madri para obter da Coroa autorização para a conquista do Peru. Há ainda quem conceda a Pizarro ter sido filho bastardo de um nobre capitão de *tercios*, um tipo de unidade militar, criado por Carlos V no século XVI e que teve vigência na Espanha até o século XVIII.[232]

Embora Pizarro tenha sido depois reconhecido pelo pai, os historiadores concentram nele a imagem do plebeu aventureiro, ao relatar as sangrentas lutas ocorridas entre os conquistadores do Peru. Alguns anos depois de haver matado Atahualpa, Pizarro foi morto por alguns dos seus companheiros de expedição, que eram homens de Diego de Almagro, também bastardo. Almagro havia participado da conquista do Panamá e de uma tentativa fracassada de conquista do Chile, mas foi morto por um irmão de Pizarro alguns anos depois da morte deste.

As indagações de caráter interpretativo não são muito diferentes quando se trata dos conquistadores espanhóis ou portugueses dessa época. Teriam sido muito diferentes de Pizarro figuras como Hernán Cortéz, o conquistador do México? Cortéz foi, por certo, um personagem mais próximo da nobreza e teve mais êxito, pelo menos porque durou mais tempo como vitorioso num mundo em guerra. Mas não fugiu ao perfil do aventureiro. É certo que recebeu de Carlos V o título de marquês de Oaxaca, mas morreu na Espanha, pobre e esquecido em uma propriedade perto de Sevilha.

Do lado português, é emblemático o nome de Martim Afonso de Sousa, de uma família da grande nobreza. Depois de alguns anos em São Vicente, foi para as Índias, onde alcançou indiscutível êxito como chefe militar e chegou a governador de 1541 a 1545. Mas alguns historiadores consideram que teria deixado fama de corrupto e de favorecer interesses pessoais. Há quem o acuse de mau administrador, que teria deixado a esquadra da Índia em péssimo estado, bem como a artilharia e o armamento ligeiro. Teria sido o único capitão português, nas Índias ou no Brasil, a merecer críticas como essas?

A nobreza da conquista

Uma parte importante dessa nobreza aventureira se definiu como tal em meio ao Novo Mundo que descobriu e conquistou. A prática da nobilitação por serviços, conhecida em toda a Idade Média, tomou traços próprios na Reconquista, transferindo-se para o Brasil logo após o descobrimento. A concessão de terras e títulos de nobreza pela Coroa foi um dos motores da formação dos grupos de poder da colônia. Para Georges Duby, na Idade Média a doação de terras, benesses e títulos pelo rei e pelos poderosos é a necessária contrapartida da captura e do saque na guerra. Em princípio, o chefe não guarda para si o butim, mas o distribui a seus homens e à Igreja. "Essa distribuição, essa consagração são a condição própria do poder."[233] Alexis de Tocqueville anotou que uma peculiaridade dos Estados Unidos em face da Europa estaria em que eles nasceram sem uma nobreza. O Brasil e a América Ibérica nasceram com uma nobreza, a da conquista. Tiveram por isso, desde a origem, para o bem e para o mal, um *ethos* nobiliárquico.[234]

Foi por meio de tais mecanismos de distribuição, basicamente os mesmos mencionados por Duby, que se formou a nobreza da terra na colônia. Como assinala João Fragoso, "a Câmara, os ofícios da coroa e as mercês, em geral, criavam para seus titulares possibilidades de acumulação de riquezas à margem da produção e do comércio. (...) uma elite se apropriava de recursos do público, não somente dos escravos, mas também dos lavradores e dos comerciantes, entre outros grupos sociais. Por meio desses mecanismos, a nobreza da terra foi capaz de adquirir parte do excedente colonial e realizar suas fortunas".[235]

Mesmo quando não tinham origem nobre, os conquistadores podiam pleitear reconhecimento, sempre que pudessem fazer prova de serviços relevantes. E quando já tinham origem nobre, podiam pleitear novos títulos e benesses, sempre que fossem capazes de provar merecimento. No início, foram serviços nas Índias, depois na própria colônia, buscando terras, índios e ouro. Iniciada na conquista do território, essa tradição brasileira de concessão de títulos e benesses continuou depois de firmada a independência do Brasil. Teve início pela formação de uma nobreza na colônia, a "nobreza da terra".

Na colônia dos primeiros séculos, além da concessão pela Coroa ou por seus representantes de sesmarias e títulos a senhores e potentados, há também exemplo de benesses concedidas para chefes indígenas, em agradecimento à participação em combates do lado português. Um exemplo conhecido é o do morubixaba Arariboia, por serviços prestados na luta contra os franceses no Rio de Janeiro. O caso mais frequente, porém, foi o de mercês concedidas a conquistadores e colonizadores portugueses, espanhóis e, em geral, europeus.

Um exemplo é o do navegador Cristóvão Jaques, filho bastardo de Pero Jaques, de origem aragonesa, que foi legitimado por dom João II, de Portugal. Chegou ao Brasil em 1503 na viagem de Gonçalo Coelho e voltou depois para combater os franceses que traficavam pau-brasil na Bahia, tendo sido feito fidalgo da Casa Real por dom Manuel. Outro caso clássico é o de Fernão de Noronha, cristão-novo, que foi representante dos interesses na Ibéria do banqueiro alemão Jakob Fugger e um dos financiadores da expedição de Gonçalo Coelho. Em 1504, Noronha recebeu de dom Manuel a "primeira capitania do mar" da colônia brasileira, na ilha que tem o seu nome. Em 1532, foi reconhecido como fidalgo por dom João III.

A formação de uma nobreza da terra encontrou na conquista um dos seus pontos de apoio. Segundo Nuno Gonçalo, em Portugal, "a partir da dinastia de Avis (1385-1580), a

Coroa passou a utilizar continuadamente dispositivos que se mantiveram até a revolução liberal de 1832. A monarquia regulava o acesso aos diversos graus de nobreza. No século XVIII, generaliza-se a Ordem de Cristo desde os mais altos aristocratas até plebeus nobilitados até o ponto de que surgiu a frase: em poucos anos vão reduzir-se os três milhões de habitantes (de Portugal) a três milhões de nobres".[236]

Em estudo sobre a restauração em Pernambuco, Evaldo Cabral de Mello sugeriu que os principais mecanismos de constituição da nobreza da terra naquela capitania teriam sido a conquista e a posterior restauração do território pernambucano do jugo holandês. É claro que, quando fala da formação de uma nobreza, o historiador se refere a homens de poder que tinham o exercício de cargos na câmara e dispunham de uma clientela ou de um séquito de homens livres e escravos. O reconhecimento desses segmentos como nobres teria ocorrido "na segunda metade do século XVII". Foi quando "os descendentes dos restauradores passaram a reivindicar o estatuto de uma 'nobreza da terra', a ponto de, nos começos da centúria seguinte, os naturais de Pernambuco serem acusados de se quererem quase todos inculcar por nobres".

Maria Fernanda Bicalho fez um amplo estudo sobre o tema, apoiada em Evaldo Cabral de Mello e Romero Magalhães: "Em cidades como Olinda, Salvador ou Rio de Janeiro, as pessoas que se arrogavam o título de 'principais' ou de 'nobreza da terra' justificavam-no não enquanto uma categoria natural ou jurídica, de acordo com o direito do Antigo Regime, mas por meio de um discurso — baseado numa cultura política — que valorizava sua condição de protagonistas na conquista ultramarina."[237]

João Fragoso examinou um processo semelhante sobre as elites senhoriais do Rio de Janeiro nos séculos XVI e XVII, as quais foram favorecidas pelas práticas e instituições regidas pelo ideário da conquista, pelo sistema de mercês, pelo desempenho de cargos administrativos e pelo exercício do poder municipal. De acordo com Fragoso, cerca de 45% das famílias proprietárias de engenhos do Rio de Janeiro no século XVII tiveram origem em oficiais ou ministros régios. Em sua grande maioria, tais famílias foram constituídas entre 1566 e 1620, em meio às lutas contra franceses e tamoios, e, portanto, descendiam de conquistadores dos tempos heroicos dos primeiros colonos na região. Alguns desses conquistadores vieram do norte de Portugal e das ilhas do Atlântico; outros, antes de chegarem ao Rio, passaram primeiro por São Vicente.

Por serviços prestados ao rei na conquista e defesa do território, esses homens se transformaram nos principais ou na nobreza da terra. Continua Fragoso: "Das 197 famílias que, em algum momento do século XVII, tiveram engenhos de açúcar, 120 tiveram a sua origem de 1565 a 1620 e mais de dois terços antes de 1600, ou seja, no período da conquista." Dessas 120, continua o pesquisador, "73 descendiam de antigos oficiais do rei e/ou de velhos camaristas. Dos 295 senhores de engenhos conhecidos para todo o século XVII, 155 (52,5%) saíram daquelas 73 famílias de conquistadores". (...) "A exemplo de São Paulo e de Pernambuco, algumas das melhores famílias do Rio casaram seus rebentos com descendentes de 'principais' indígenas. Esse fora o caso de Gonçalo Correia de Sá, filho do governador do Rio, Salvador Correia de Sá. Ou ainda de um do capitão Gaspar Vaz, que esposou a filha de Araribóia. (...) Por meio dessas negociações, conseguiam-se, entre outras coisas, flecheiros e, com isso, os fidalgos dos trópicos ampliavam suas bases guerreiras."[238]

Personagens que chegaram à conquista com títulos podiam também receber sesmarias e, além disso, ter acrescentados os títulos que possuíam. O fidalgo Brás Cubas (1507-1592), que estava na comitiva de Martim Afonso, recebeu alguns anos depois, em 1536, sesmarias na capitania de São Vicente. Nelas plantou cana-de-açúcar e montou engenho. Além disso, criou em 1543 a Santa Casa de Misericórdia (1543), em torno da qual surgiu a vila de Santos. Tornou-se o maior proprietário de terras da Baixada Santista, foi por duas vezes capitão-mor de São Vicente (1545-1549 e 1555-1556) e nomeado em 1551 por dom João III como provedor das rendas da capitania. Participou das guerras contra os tamoios. Por ordem de Mem de Sá, realizou expedições em busca de ouro e prata. Em 1560, teria encontrado ouro na Baixada Santista. Há informações de que, na busca das minas, ele teria chegado à Chapada Diamantina, no sertão da Bahia.

Outro exemplo de acrescentamento de títulos e propriedades é o do baiano Sebastião Fernandes Tourinho, parente do donatário da capitania de Porto Seguro, Pero de Campos Tourinho, e um dos primeiros bandeirantes a devassar o território das "minas gerais". Em 1572 ou 1573, ele partiu de Porto Seguro, margeou o rio Doce, tomou o rumo do rio Jequitinhonha e desceu até ao oceano. No caminho, teria encontrado pedras preciosas, havendo quem afirme que, com Sebastião Fernandes Tourinho, teria começado o mito das esmeraldas que será perseguido depois por outros sertanistas.

Fundadores e herdeiros

Como diz Marco Antônio Tavares Coelho, "as sesmarias modelaram o Brasil rural".[239] Na colônia americana da conquista assim como na Península Ibérica da Reconquista, *distribuir terra era maneira de ocupar território. E povoar terra era um meio de garantir a posse do território.* A sesmaria, base institucional da construção colonial no Brasil, é uma versão modificada da enfiteuse que se difundiu no século XIII no povoamento do sul de Portugal (Algarves e Alentejo). Foi a base de um sistema pelo qual, na península, a Coroa passou a distribuir terras para o cultivo, visando à colonização de uma região recém-conquistada. A sesmaria distinguia-se do aforamento porque não exigia o pagamento de foro, mas o uso produtivo da terra. Como a propriedade da terra ficava com a Coroa, a sesmaria era uma concessão que poderia ser anulada se o sesmeiro não a cultivasse. Para Moniz Bandeira, esse sistema beneficiou no Brasil os nobres e os fidalgos, que "recebiam as terras de uma autoridade superior (ou nobre, o capitão donatário), a quem deviam prestar serviços militares em tempo de guerra, segundo uma hierarquia em cujo topo o monarca se encontrava".[240]

No terceiro decênio do século XVI, Martim Afonso de Sousa distribuiu sesmarias em São Vicente a seu lugar-tenente Pero de Goes e ao fidalgo Rui Pinto. Brás Cubas fez o mesmo alguns anos depois, em benefício de pessoas de sua amizade. O regime alcançou escala mais ampla a partir da instauração das capitanias hereditárias. É sabido que muitas das capitanias fracassaram, com algumas exceções. Mas não se pode dizer que fracassaram as sesmarias que continuaram sendo concedidas até o século XVIII, de modo a formar a base institucional da colonização do Brasil.[241]

Na relação entre a Coroa e os proprietários, a concessão de sesmarias funcionou como um mecanismo de reciprocidades típico da Idade Média. As terras, sobre as quais a Coroa tinha soberania, eram uma espécie de "moeda de troca", tanto para a política imperial de defesa e ocupação do território quanto para a pesquisa e a busca de minas de ouro. As sesmarias eram em princípio povoadoras, já que voltadas para o gado e a agricultura. Mas isso não significa que levassem ao desinteresse pelo apresamento de índios, ou pelo ouro, pela prata e pelos demais metais preciosos.

Assim como os conquistadores criaram um padrão de organização do trabalho por meio da escravização dos índios, as grandes famílias criaram um padrão oligárquico de organização do poder. As grandes famílias misturaram-se entre si e formaram oligarquias em diversas regiões do Brasil. Já pudemos ver neste livro que é notável a quantidade de Sousas, Caramurus (incluindo os Ávilas), Tourinhos, Britos, Azeredos, Sás, Coelhos e Albuquerques em posições de poder no Brasil dos séculos XVI e XVII. Esses nomes e outros que se mencionam adiante são apenas alguns exemplos, mas suficientes para que se reconheça um padrão que se reproduz em número enorme de casos.

Na última Idade Média, a família Sousa era uma das cinco principais de Portugal, onde o primeiro a usar esse sobrenome foi o capitão-general Egas Gomes de Sousa, no século XII. Uma das netas do capitão-general casou-se com Martim Afonso Chichorro, um filho bastardo de Afonso III, rei de Portugal, do século XIII. Entre os muitos Sousas de Portugal e do Brasil dos séculos XVI e XVII, se mencionam Damião de Sousa de Menezes, capitão-mor de Aveiros; Martim Afonso de Sousa, senhor de Prado e alcaide-mor de Bragança, donatário de São Vicente e governador da Índia; Pero Lopes de Sousa, donatário de Itamaracá e de Santo Amaro (na falta de herdeiro direto, Itamaracá passou ao conde Monsanto, dom Álvaro Pires de Castro e Sousa); Tomé de Sousa, governador-geral do Brasil; Jerônima de Albuquerque e Sousa, herdeira da capitania de Itamaracá; Luiz Carneiro, donatário da ilha do Príncipe e capitão-mor de Santos, São Vicente e São Paulo; Rui Vaz Pinto, governador do Rio de Janeiro; Gaspar de Souza, capitão-geral do Brasil; Francisco de Sousa, conde do Prado e senhor de Beringel, capitão-geral do Brasil e, depois, capitão-geral de São Vicente, Espírito Santo e Rio de Janeiro, avô do 1º marquês de Minas, do mesmo nome, dom Francisco de Sousa, e 3º conde de Prado, em 1670.

Segundo pesquisa de Luiz Carlos Benzi sobre "Os Sousas", há ainda a mencionar, na mesma família, os nomes de Francisco Giraldes, governador-geral do Brasil; Pedro de Melo, governador de Sergipe e depois capitão-mor do Rio de Janeiro; Ruy Vaz de Siqueira, capitão-general do Maranhão; dona D. Mariana de Sousa da Guerra, condessa de Vimieiro, 5ª donatária de São Vicente; dom Fernando da Silveira, almirante da Armada, fundador da família Baltazar da Silveira, de Minas e Bahia; Pedro José de Melo, capitão-geral do Maranhão; Fernão de Sousa Coutinho, governador de Pernambuco; Luís de Sousa, governador-geral da Bahia; Afonso Furtado de Mendonça de Castro do Rio, 1º visconde de Barbacena, governador e capitão-general do Brasil; Antônio Luís de Sousa, 4º conde do Prado, senhor de Beringel e 2º marquês de Minas; dom Francisco de Sousa, 5º conde de Prado, que serviu na província do Minho e faleceu em 1687, retornando da Bahia para Portugal.[242]

Segundo alguns linhagistas, fariam parte da família Sousa a donatária de Pernambuco, Brites de Albuquerque, matriarca da família Albuquerque Coelho; Jerônimo de Albuquerque, capitão-geral de Pernambuco. Garcia d'Ávila, protegido de Tomé de Sousa, pode ser considerado pertencente à linhagem dos Sousas, que foi, portanto, aumentada com os descendentes de Caramuru. Também na Bahia, algo de semelhante ocorreu com os Britos e os Tourinhos, assim como em São Paulo com os genros e descendentes de João Ramalho. Não por acaso essas raízes das grandes linhagens da Bahia e de São Paulo eram todas de conquistadores de terras e de índios. O mesmo há que mencionar no Rio de Janeiro com os parentes de Mem de Sá.

O exemplo dos Coelhos e dos Albuquerques em Pernambuco ilumina um aspecto central do poder na época da conquista. Duarte Coelho (1485-1554), fundador de Olinda e de Pernambuco (1534-1553), foi também o fundador de uma linhagem pernambucana em que a sequência navegador-conquistador-colonizador aparece de maneira direta, às vezes nas mesmas pessoas. Duarte Coelho, filho do navegador e conquistador Gonçalo Coelho, foi sucedido na capitania por sua mulher, dona Brites de Albuquerque, que a repassou a seus filhos Duarte Coelho de Albuquerque e Jorge de Albuquerque Coelho. O quarto e último donatário da família foi Duarte de Albuquerque Coelho, no poder até 1658. Acrescente-se ainda que dona Brites era irmã de Jerônimo de Albuquerque — conhecido também como o "Adão pernambucano" — que foi para Pernambuco em companhia de Gonçalo e inaugurou uma linhagem familiar que se estendeu de Pernambuco a outros estados do Nordeste.

A família Sá teve no Rio de Janeiro dos séculos XVI e XVII algo de parecido com as famílias Coelho e Albuquerque em Pernambuco. Mem de Sá era licenciado em direito e desembargador, irmão do poeta Francisco Sá de Miranda, e tornou-se um político e militar como outros dentre seus parentes. Seu sobrinho, Estácio de Sá, fundou o Rio de Janeiro, do qual foi o primeiro governador (1565-1567). Seu primo, Salvador Correia de Sá, foi duas vezes governador (1569-1572 e 1577-1599). Um dos filhos de Salvador, Martim Correia de Sá, governou o Rio de Janeiro duas vezes (1602-1608 e 1623-1633). O filho de Martim chamado Salvador Correia de Sá e Benevides foi mais famoso do que o avô do qual tomou o nome. Foi três vezes governador do Rio de Janeiro (1637-42, 1648 e 1659-1660) e ganhou grande prestígio por haver restaurado o domínio português em Angola, na África. Como os Coelhos em Pernambuco, os Correias de Sá governariam o Rio de Janeiro por quase três gerações. A ilha do Governador, na baía da Guanabara, possui esse nome por ter sido a sede de um engenho de açúcar de Salvador Correia de Sá. Como Brás Cubas, em São Vicente, e Garcia d'Ávila, na Bahia, Salvador Correia de Sá tornou-se proprietário de terras e engenhos no Rio de Janeiro.

CAPÍTULO XI Paradoxos das origens

Os conquistadores ibéricos trouxeram para o Novo Mundo os medos e os mitos do imaginário medieval, mas foram, ao mesmo tempo, capazes de tomar como *tabula rasa* as terras e as gentes que conquistaram. Traziam a memória do Velho Mundo, mas acreditaram ver o Novo Mundo como uma página em branco, como o barro que poderiam moldar como bem entendessem. Eles nada sabiam das terras e dos povos que iriam ter pela frente, mas acreditavam poder dominá-los. Era pelo menos o que imaginavam até começarem a topar com os perigos das matas e os riscos das guerras com os índios.

Sem essa crença na própria força, não se lançariam à aventura. Das crônicas e histórias dos primeiros séculos, fica a impressão de que os conquistadores não podiam submeter-se a qualquer limite. Na chegada, eles acreditaram que aqui tudo era possível e, mais, que tudo lhes era permitido. Para eles só valiam as próprias crenças.

Vêm talvez dessas raízes as recaídas em acessos voluntaristas — às vezes iluministas, às vezes completamente irracionais — sempre tão surpreendentes em uma história tão conservadora como a nossa. Vêm dessa mesma força avassaladora dos mitos que, nas origens do país, impulsionavam na busca, às vezes trágica, de riquezas que demoraram mais de século e meio para encontrar.

Muitos desses aventureiros viveram quase todos os momentos das suas atribuladas vidas com o sentimento da proximidade da morte. Não por acaso, muitos bandeirantes e sertanistas viram no momento da partida para o sertão a oportunidade própria para ditar ao notário suas últimas vontades.[243] Assim como eles próprios (ou seus pais) haviam saído dispostos a tudo da Europa para a América, assim também saíam para o sertão, dispostos a tudo. Daí essas extremadas divisas tão típicas da tradição ibérica: "independência ou morte", "*por la razón o la fuerza*", "*pátria o muerte*" etc.

Na experiência das primeiras gerações, a América era o sertão, o desconhecido, que lhes inspirava sentimentos semelhantes ao que eles (ou seus pais) haviam vivido na travessia do "mar tenebroso" Quem partia para o sertão não podia ter a segurança de poder voltar. "Quem quer passar além do Bojador/Tem que passar além da dor", disse Fernando Pessoa.

Assim como os navegadores daqueles tempos, também os conquistadores agiam sempre como se estivessem nas fronteiras do absoluto. Ao sair das suas fazendas, vilas e vilarejos, para a floresta, eles exerciam a sua liberdade como se desinibidos de quaisquer restrições. A partir de então, a morte estava sempre à espreita, nas sombras escuras da mata, na forma de gente ou de bicho.

Nessa incerteza do futuro devia haver também o sentimento de uma enorme disposição para a violência. Os conquistadores eram livres. Escravos tinham de ser os outros.

* * *

Na América Ibérica, como na anglo-saxônica, os conquistadores viam a escravidão como necessária e inevitável. As diferenças de opção religiosa entre católicos e puritanos não impediram a uns nem a outros uma capacidade de violência cujo caminho para a conquista só poderia ser o da escravidão. No século XVII, os anglo-americanos, sob a influência de um luteranismo que não reconhecia alma aos índios e aos negros, apoiaram a escravidão partindo da crença em um igualitarismo sempre restrito aos brancos. Um século antes dos anglo-saxônicos, os conquistadores ibero-americanos adotaram a escravidão sob o manto de um universalismo católico para o qual, porém, senhores e escravos eram iguais aos olhos de Deus. E, assim, essa igualdade de senhores e escravos diante de Deus permitia entender a desigualdade, mesmo a da escravidão, como um fenômeno natural.

Os argumentos teológicos, nas duas Américas, eram diferentes, mas em ambos os casos fundamentavam os pressupostos de um poder que se concebia como absoluto. Apesar de algumas variações culturais e dos muitos percalços da história, era a mesma a arrogância de origem que se manteve por muito tempo.

Nos dois casos, as colônias nasceram com a consciência da liberdade dos conquistadores, mas com uma importante diferença. Nas colônias ibéricas, onde os senhores conviviam com a ideia de que também os escravos possuíam alma, a liberdade dos senhores diante da submissão dos escravos permitiu, desde as origens, alguma consciência da injustiça em que se apoiava. Talvez seja esta a grande contribuição dos missionários, em especial os jesuítas. Eles ajudaram a formar na sociedade ibero-americana a consciência da sua própria injustiça.

* * *

O peculiai aos ibéricos dos séculos dos descobrimentos e da conquista é a sua enorme capacidade de expansão, ao lado da intensidade de seu tradicionalismo. Eles possuíam um senso para a vida prática e uma capacidade de aprender com a experiência que subsistia em meio a um medievalismo de antigas raízes, personalista, amigo dos santos, confiante nas indulgências e esperançoso nos milagres, que se preservou em Portugal e na Espanha mais do que em outras partes da Europa. Nesse aspecto, os ibéricos só poderiam comparar-se na Europa com os genoveses, venezianos e outros italianos com tradição de navegar para Oriente pelos caminhos do Mediterrâneo.

A conquista criou aqui uma sociedade nova, mas, desde o início, marcada pela continuidade de algumas tradições da velha sociedade ibérica e medieval. Embora tenha custado, na prática, algumas rupturas com a tradição, a nova sociedade se apoiou na convicção da continuidade dos valores, Essa continuidade é um dos traços constitutivos, "uma das marcas e cicatrizes" do nosso caráter, com sua peculiar capacidade de conviver em meio a tendências diferentes, e mesmo contraditórias, de comportamento.

É que, desde o começo, a nova sociedade não rompeu com o passado. Agregou-se a ele. E, porque cresceu com o correr dos tempos, absorveu-o. Fundiu-se com ele. A nova sociedade não superou a velha sociedade, mas a traz dentro de si. Tem sido assim desde sempre. A nova sociedade nasceu da busca do futuro e persiste até hoje nessa busca. Mas jamais rompeu, não pelo menos inteiramente, seus vínculos mais profundos com a tradição.

Notas

1. Bartolomeu de Las Casas, *Memorial de remedios para las Indias*, 1516.
2. Pedro Calmon, *História social do Brasil — Espírito da sociedade colonial*, p. 6, 13.
3. William Manchester, *A World Lit Only by Fire — The Medieval Mind and the Renaissance*.
4. Affonso Taunay, *História das bandeiras paulistas*, p. 13.
5. António Sérgio, *Breve interpretação da história de Portugal*, p. 7.
6. Adeline Rucquoi, *História medieval da Península Ibérica*, p. 195.
7. António Sérgio, op. cit., p. 53.
8. A frase atribuída a Camões se encontra em Claudio Sánchez-Albornoz, *España — un enigma histórico*, p. 1.211.
9. Pedro Calmon, *A conquista — A história das bandeiras baianas*, p. 18.
10. António Sérgio, op. cit., p. 47.
11. Ver Sérgio Buarque de Holanda, *Raízes do Brasil*. Há várias edições desse importante livro. Apoio-me aqui no texto publicado no volume III da coleção Intérpretes do Brasil.
12. Gilberto Freyre, *Casa grande e senzala*.
13. Para uma avaliação do iberismo em Sérgio Buarque de Holanda, ver Robert Wegner, *A conquista do oeste — A fronteira na obra de Sérgio Buarque de Holanda*, p. 30.
14. Roberto Simonsen, *História econômica do Brasil (1500-1820)*. Esse livro é baseado em curso do autor na Escola Livre de Sociologia e Política de São Paulo, a partir de 1936.

15. Caio Prado Jr., *Formação do Brasil contemporâneo — Colônia*, p. 9 e 10.

16. A. H. de Oliveira Marques, *História de Portugal*.

17. Arno e Maria José Wehling, *Formação do Brasil Colonial*, p. 20.

18. Serafim Leite, *História da Companhia de Jesus no Brasil*, p. 83.

19. Citado em Lewis Hanke, *The Spanish Struggle for Justice in the Conquest of America*, p. 7: "We came here to serve God, and also to get rich." Bernal Diaz de Castillo deixou memórias da conquista do México em sua *Historia verdadera de la conquista de la Nueva España*. Há tradução inglesa, *The Conquest of New Spain*, Londres: Penguin, 1963.

20. Jorge Caldeira, *História do Brasil com empreendedores*.

21. Gandavo. Grifos meus.

22. Orlando Patterson, *Escravidão e morte social*, p. 21, 24, 26.

23. Serafim Leite, op. cit., p. 80. Grifos meus.

24. C. R. Boxer, *A Idade de Ouro do Brasil*, p. 26.

25. Pedro Calmon, op. cit., p. 40.

26. Affonso Taunay, *São Paulo nos primeiros anos — 1554-1601*, p. 161.

27. C. R. Boxer, op. cit.

28. Rubem Barboza Filho, *Tradição e artifício — Iberismo e barroco na formação americana*, p. 25.

29. Orlando Patterson, op. cit., p. 12.

30. António Sérgio, op. cit.

31. A. H. de Oliveira Marques, op. cit., p. 284-85.

32. Serafim Leite, op. cit., p. 47.

33. João Ribeiro, *História do Brasil*, p. 74-75.

34. António Sérgio, op. cit., p. 84.

35. Lewis Hanke, op. cit.

36. Claudio Sánchez-Albornoz, op. cit., p. 1.252.

37. Ibidem, p. 1.253.

38. Quentin Skinner, *As fundações do pensamento político moderno*. Ver também Giuseppe Tosi, "Raízes teológicas dos direitos subjetivos modernos: conceito de dominium no debate sobre a questão indígena no sec. XVI".

39. Sobre a segunda escolástica, em especial sua teoria do poder e influência no direito internacional, ver Andrés Ordoñez, *Los avatares de la soberanía — Tradición hispánica y pensamiento político en la vida internacional de México*.

40. Lewis Hanke, op. cit., p. 17.

41. Quentin Skinner, op. cit., p. 421.

42. Lewis Hanke, op. cit., e Richard Morse, *O espelho de Próspero — cultura e ideias nas Américas*, p. 22 e seguintes. Ver também Paul Balta, *Islã*, p. 30.

43. Jean Claude Carriére dramatizou o debate entre Las Casas e Sepúlveda em *A controvérsia*. Ver também, além de Quentin Skinner e Lewis Hanke, o livro de D. A. Brading, *The First America — The Spanish Monarchy, Creole Patriots, and the Liberal State (1492-1867)*.

44. Joaquim Pedro de Oliveira Martins, *História de Portugal*, 1991, p. 10. Ver também António José Saraiva, *História da cultura em Portugal*, vol. III, p. 12 e seguintes.

45. Serafim Leite, op. cit., p. 5.

46. Manuel da Nóbrega. *Cartas do Brasil*, p. 80.

47. Serafim Leite, op. cit., p. 20.

48. Manuel da Nóbrega, op. cit.

49. Pero de Magalhães Gandavo, *História da Província de Santa Cruz*. Há diversas edições em português desse famoso livro. Uma das mais recentes foi organizada por Sheila Moura Hue e Ronaldo Menegaz, que modernizaram a linguagem do texto, ao qual acrescentaram notas. Ver Pero de Magalhães Gandavo, *A primeira história do Brasil*.

50. Basílio de Magalhães, *Expansão geográfica do Brasil até fins do século XVII*, p. 8.

51. Diogo de Vasconcelos, *História antiga das Minas Gerais*, p. 43, 47.

52. Magno Vilela, *Antônio Vieira e a escravidão negra na Bahia do século XVII*, p. 36 e 85.

53. Gaspar Barléu, *História do Brasil*.

54. Os versos de Quintana são de 1806.

55. Capistrano de Abreu, *Capítulos de história colonial (1500-1800)*, p. 122-123.

56. Luciano Canfora, *Júlio César — o ditador democrático*, p. 158-59.

57. Basílio de Magalhães, op. cit., p. 43.

58. Ver Alberto da Costa e Silva, *A manilha e o libambo*, e Orlando Patterson, op. cit. Sobre a escravidão dos índios brasileiros, ver John Hemming, *Ouro vermelho*.

59. Vicente do Salvador, *História do Brasil — 1500-1627*. Ver capítulo III, com o sugestivo título "Da demarcação da terra e costa do Brasil com a do Peru e Índias de Castela".

60. Affonso de Taunay, *História das bandeiras paulistas*, p. 14.

61. Capistrano de Abreu, op. cit., p. 84.

62. Sobre Turner, ver José Honório Rodrigues, *História e historiografia*. Ver também Robert Wegner, op. cit.

63. Basílio de Magalhães, op. cit., p. 124.

64. Segundo Ranke, só o Ocidente participou das migrações bárbaras, das cruzadas medievais e das conquistas coloniais, para ele "as três grandes inspirações dessa incomparável associação". Ver Perry Anderson, *Passagens da Antiguidade ao feudalismo*, p. 15-16. Ver também Georges Duby, *Guerriers et paysans, VIIe-XIIe siècle*.

65. Fernand Braudel, *Grammaire des civilizations*, p. 355. Ver também Jerome Baschet, *A civilização feudal — Do ano mil à colonização da América*, p. 26.

66. David L. Lewis, *O Islã e a formação da Europa de 570 a 1215*, p. 23.

67. Henri Pirenne, *Maomé e Carlos Magno — O impacto do Islã sobre a civilização europeia*. Ver também David L. Lewis, op. cit.

68. Além dos historiadores lusos mencionados nesta e em outras partes deste livro, minha aproximação com a história da Ibéria se beneficia do debate entre os espanhóis Claudio Sánchez-Albornoz, op. cit., e Américo Castro, *La realidad histórica de España*, sobre as raízes culturais da Espanha. A primeira edição do livro de Castro é de 1948, com o título *España en su historia — Cristianos, moros y judíos*.

69. Américo Castro, *La realidad histórica de España*, p. 13. As anotações anteriores não devem fazer esquecer que as perseguições aos judeus são antigas na península, vêm desde os visigodos. Na Europa, houve diversas épocas de perseguições aos judeus: na Inglaterra, em 1290, e na França, em 1306 e em 1393.

70. Ibidem.

71. Jacques Le Goff, *Heróis e maravilhas da Idade Média*, p. 128. A descrição de El Cid como "aventureiro de fronteira" é de Denis Menjot, citado por Le Goff.

72. Claudio Sánchez-Albornoz, op. cit., p. 767.

73. Ibidem, p. 764.

74. Américo Castro, op. cit., p. 82.

75. Ibidem, p. 35.

76. Ver especialmente *Raízes do Brasil*.

77. Américo Castro, op. cit., p. 205.

78. Américo Castro, op. cit., p. 38-39.

79. Braudel, op. cit., p. 109.

80. Américo Castro, op. cit., p. 13.

81. Américo Castro, *España en ...*, op. cit., p. 96.

82. Américo Castro, op. cit., p. 258.

83. Rubem Barboza Filho, op. cit., p. 25 e 27.

84. António José Saraiva, op. cit., p. 11.

85. António Sérgio, op. cit., p. 76.

86. Oliveira Martins considera o português e o castelhano irmanados na mesma imagem que constrói sobre o espanhol. Ver *História da civilização ibérica,* b. 160.

87. Ibidem.

88. Américo Castro, op. cit., p. 192.

89. Américo Castro, op. cit., p. 39.

90. Maria Ângela Beirante, "A 'Reconquista' cristã".

91. Francisco Bethencourt, "Os equilíbrios sociais do poder", p. 160.

92. António Sérgio, op. cit., p. 21, 28. Essas origens das leis de sesmarias são enfatizadas por Moniz Bandeira em *O feudo*.

93. Claudio Sánchez-Albornoz, op. cit., p. 770, 774.

94. Ibidem, p. 723, 749, 765.

95. Ibidem, p. 751.

96. Oliveira Martins, p. 120.

97. Claudio Sánchez-Albornoz, p. 1.136.

98. Ibidem, p. 1.065, 1.109.

99. Ibidem, p. 778, 780.

100. Maria Ângela Beirante, op. cit., p. 329. O grifo é meu.

101. Claudio Sánchez-Albornoz, p. 758 e seguintes.

102. Oliveira Martins, op. cit.

103. Jaime Cortesão. *Raposo Tavares e a formação territorial do Brasil*, p. 73.

104. Ver Fernando Benítez, *La ruta de Hernán Cortéz*, p. 9 e seguintes. Ver também Enrique de Gandía, *Historia crítica de los mitos de la conquista americana*.

105. Ver Angel Rama, citado por Werneck Vianna, ver Rubem Barboza Filho, op. cit., p. 17.

106. Citado em Richard Morse (org.), *The Bandeirantes*, p. 17.

107. Cassiano Ricardo, *Marcha para oeste*, p. 105.

108. Sérgio Buarque de Holanda, *Visão do paraíso — Os motivos edênicos no descobrimento do Brasil*, p. 19, 102 e 238.

109. Pedro Calmon, *A conquista*, p. 15.

110. Márcio Souza, *História da Amazônia*.

111. Sérgio Buarque de Holanda, op. cit., p. 104.

112. Basílio de Magalhães, op. cit., p. 7.

113. Márcio Souza, op. cit.

114. Elaine Sanceau, *D. Henrique, o Navegador*, p. 155.

115. Paulo Miceli (org.), *O tesouro dos mapas — A cartografia na formação do Brasil*.

116. Sérgio Buarque de Holanda, op. cit., p. 54.

117. Jaime Cortesão, op. cit., p. 133.

118. Sérgio Buarque de Holanda, op. cit., p. 64.

119. Sérgio Buarque de Holanda, op. cit., p. 37 e 47.

120. Alvar Nuñez Cabeza de Vaca, *Naufrágios e comentários*. Ver também Mário S. Lorenzetto, *Cabeza de Vaca e os mitos de seu tempo*.

121. Jaime Cortesão, op. cit., p. 130.

122. Serafim Leite, op. cit., p. 73.

123. Ibidem, p. 70

124. Ibidem, p. 99.

125. Sérgio Buarque de Holanda, op. cit., p. 90.

126. Moniz Bandeira, op. cit.

127. Basílio de Magalhães, op. cit., p. 20.

128. Diogo de Vasconcelos, op. cit., p. 51.

129. Sérgio Buarque de Holanda, op. cit., p. 40.

130. Basílio de Magalhães, op. cit., p. 9.

131. As informações acima sobre os jesuítas estão em Serafim Leite, op. cit., p. 28, 47, 49, 52 e 93.

132. Basílio de Magalhães, op. cit., p. 42.

133. As estimativas mencionadas tomam por base os relatos de Carvalho Franco, *Dicionário de bandeirantes e sertanistas do Brasil*.

134. Carvalho Franco, op. cit., p. 176.

135. Ibidem, p. 176.

136. Serafim Leite, op. cit., p. 94.

137. A citação do padre Azpilcueta Navarro se encontra, entre outros autores, em Villanueva Rodrigues, "Os marcos geográficos como referências na ocupação do território paulista", in Antônio Gilberto Costa (org.), *Os caminhos do ouro e a Estrada Real*. Lisboa: Kapa Editorial, 2005.

138. A grafia de Sabarabussu varia entre os autores, às vezes com dois "s", às vezes com cedilha.

139. Pedro Calmon, *A conquista*, op. cit., p. 39.

140. Cassiano Ricardo, *Pequeno ensaio de bandeirologia*, p. 29.

141. Basílio de Magalhães, op. cit., p. 14.

142. Ibidem, p. 100.

143. Moniz Bandeira, op. cit., p. 102.

144. Carvalho Franco, op. cit., p. 135.

145. Basílio de Magalhães, op. cit., p. 22.

146. Basílio de Magalhães, op. cit., p. 35 e seguintes e Sérgio Buarque de Holanda, op. cit., p. 40 e seguintes.

147. Sérgio Buarque de Holanda, op. cit.

148. Basílio de Magalhães, op. cit., p. 66.

149. Jaime Cortesão, op. cit, p. 124.

150. Ibidem, p. 130.

151. Affonso Taunay, *História das bandeiras paulistas...*, p. 28.

152. Basílio de Magalhães, op. cit., p. 46-47.

153. Basílio de Magalhães, op. cit., p. 31.

154. Sérgio Buarque de Holanda, op. cit., p. 45.

155. Jaime Cortesão, op. cit., p. 157.

156. Moniz Bandeira, op. cit., p. 27.

157. Moniz Bandeira, op. cit., p. 25 e 90.

158. Caio Prado Jr., *Evolução política do Brasil*, p.191. Sobre a Casa da Torre e a Casa da Ponte, ver também Marco Antônio Tavares Coelho, *Os descaminhos do São Francisco*, p. 57 e seguintes.

159. Marco Antônio Tavares Coelho, *Rio das Velhas — memória e desafios*, p. 23. Nesta passagem, Coelho se apoia em pesquisa de João Batista Costa Almeida.

160. Pedro Calmon, *História social do Brasil...*, p. 9.

161. Richard Morse (org.), op. cit., p. 33.

162. Cassiano Ricardo, *Marcha para oeste*, p. 18.

163. Ver Affonso Taunay, *São Paulo nos primeiros anos,* p. 120 e seguintes.

164. Henry Kamen, *Filipe da Espanha*, p. 257.

165. Affonso Taunay, *História das bandeiras paulistas*, p. 31-32.

166. Basílio de Magalhães, op. cit., p. 36.

167. Carvalho Franco, op. cit., p. 59.

168. Ver também Affonso Taunay, *São Paulo nos primeiros anos...*, op. cit., p. 328.

169. Carvalho Franco, op. cit., p. 16.

170. Affonso Taunay, *História das bandeiras paulistas*, p. 18. Ver também Gabriel Soares de Sousa, *Tratado descritivo do Brasil em 1587,* p. 13 e seguintes.

171. Basílio de Magalhães, op. cit., apud Varnhagen, p. 23.

172. Diogo Botelho pretendeu que Madri implantasse na América portuguesa o regime das *encomiendas*, usado nas Índias de Castela, mas a proposta não prosperou.

173. Cristóbal de Acuña (1597-1676), "Relación del descubrimiento del río de las Amazonas", Madri, 1641. Ver também Marcio Souza, op. cit.

174. Basílio de Magalhães, op. cit., p. 92.

175. Sobre o Piauí, ver Carlos Eugênio Porto, *Roteiro do Piauí*. Ver também Moysés Castello Branco Filho, *O povoamento do Piauí*.

176. Pedro Calmon, op. cit., p. 59.

177. Ver João Ribeiro, op. cit., e Basílio de Magalhães, op. cit. Ver também Myriam Ellis, "As bandeiras na expansão geográfica do Brasil", in Sérgio Buarque de Holanda, *História geral da civilização brasileira — A época colonial,* p. 300-24.

178. Basílio de Magalhães, op. cit., p. 38.

179. Ibidem.

180. Cassiano Ricardo, *Marcha para oeste,* op. cit.

181. Carvalho Franco, op. cit.

182. Basílio de Magalhães, op. cit., p. 36

183. As informações acima são em geral de Carvalho Franco, algumas de Basílio de Magalhães.

184. Ver Jaime Cortesão, op. cit., p. 150-51.

185. Ibidem, p. 167, 164.

186. Carvalho Franco, op. cit., p. 324.

187. Ibidem.

188. Affonso Taunay, *São Paulo nos primeiros anos,* p. 357

189. Sérgio Buarque de Holanda, *Visão do paraíso,* p. 96.

190. Cf. Basílio de Magalhães, op. cit., p. 34.

191. Jaime Cortesão, op. cit., p. 129, 140, 156.

192. Ibidem, op. cit., p. 188.

193. Basílio de Magalhães, op. cit., p. 32.

194. Ibidem, p. 38.

195. Ibidem, p. 63.

196. Pedro Taques de Almeida Paes Leme, *Nobiliarquia paulistana histórica e genealógica.*

197. Basílio de Magalhães, op. cit.

198. Affonso Taunay, op. cit. Em 1676, Bartolomeu Bueno da Silva entrou, pela primeira vez, em terras de Goiás.

199. Affonso Taunay, op. cit.

200. Pedro Calmon, *A conquista,* p. 5.

201. Joel Serrão e A. H. de Oliveira Marques, *Nova História de Portugal, vol. II — Portugal das invasões germânicas à "Reconquista",* p. 357.

202. Orlando Patterson, op. cit., p. 21.

203. Lucio Azevedo, *Os jesuítas no Grão-Pará,* p. 151. Grifos meus.

204. Gandavo, op. cit.

205. Gandavo, op. cit.
206. Bartira Ferraz Barbosa, *Paranambuco*, Recife: Fundação Joaquim Nabuco, 2007, p. 16.
207. Francis A. Cotta, "Milícias negras na América Portuguesa".
208. Raymundo Faoro, *Os donos do poder*, Porto Alegre, Globo, 1976.
209. Cassiano Ricardo, *Marcha para oeste*, p. 58.
210. Alcântara Machado, *Vida e morte do bandeirante*.
211. Synesio Sampaio Góes Filho, *Navegantes, bandeirantes, diplomatas*, p. 112. Ver também Carlos Eugênio Porto, op. cit., p. 40.
212. Norbert Elias, *O processo civilizador*, p. 25.
213. John Hemming, op. cit., p. 21.
214. Jorge Caldeira, op. cit., p. 222.
215. Jerome Baschet, op. cit., p. 56.
216. Oliveira Marques, op. cit., p. 361.
217. Agostinho Marques Perdigão Malheiro, *A escravidão no Brasil — Ensaio histórico-jurídico-social*, p. 326. Segundo o censo de 1817-18, para uma população total que na colônia chegava a 3,8 milhões de pessoas, "os índios aldeados e pacíficos orçavam por 250.400".
218. André João Antonil, *Cultura e opulência do Brasil por suas drogas e minas*. Segundo Boxer, a expressão acima foi empregada antes de Antonil, por volta de 1660, por dom Francisco Manuel de Mello. Ver C. R. Boxer, op. cit.
219. Cf. citações de Francisco Vidal Luna e Herbert S. Klein em Jorge Caldeira, op. cit., p. 230 e seguintes.
220. Orlando Patterson, op. cit., p. 14.
221. Paulo Prado, *Retrato do Brasil — Ensaio sobre a tristeza brasileira*.
222. Oliveira Martins, *O Brasil e as colônias portuguesas*, p. 18.
223. Jorge Couto, *A construção do Brasil*, p. 240.
224. Joel Serrão e A. H. Marques, op. cit., p. 339.
225. Ronaldo Vainfas, *Santo Ofício da Inquisição de Lisboa — confissões da Bahia*.
226. Roberto Simonsen, op. cit., p. 88.
227. C. R. Boxer, op. cit., p. 32 e 35.
228. Jorge Couto, op. cit., p. 222 e seguintes.
229. Basílio de Magalhães, op. cit., p. 75.

NOTAS

. Basílio de Magalhães, op. cit., p. 54.

231. Carvalho Franco, op. cit., p. 325.

232. Os tercios foram também adotados pelos portugueses, a partir de dom Sebastião até o século XVIII. Eram também chamado "terços espanhóis" ou "quadrados espanhóis".

233. A frase entre aspas é de Marcel Mauss, em Georges Duby, op. cit., p. 62.

234. A expressão *"ethos* nobiliárquico", como associado à conquista, é de Nuno Gonçalo Monteiro.

235. Citado por João Fragoso, op. cit.

236. Nuno Gonçalo, op. cit., p. 6.

237. Citação de Maria Fernanda Baptista Bicalho, "Conquista, mercês e poder local: a nobreza da terra na América portuguesa e a cultura política do Antigo Regime".

238. João Fragoso, "A nobreza vive em bandos: a economia política das melhores famílias da terra do Rio de Janeiro, século XVII". Ver também do autor "A formação da economia colonial no Rio de Janeiro e de sua primeira elite senhorial (séculos XVI e XVII)".

239. Marco Antônio Tavares Coelho, op. cit., p. 53 e seguintes.

240. Luiz Alberto Moniz Bandeira, op. cit., p. 24.

241. Arno e Maria José Wehling, op. cit.

242. Ver "Os Souzas", segundo Luiz Carlos Benzi, disponível em http://www.geocities.com/lbenzi.

243. Alcântara Machado, op. cit.

Referências Bibliográficas

ABREU, Capistrano de. *Capítulos de história colonial (1500-1800)*. Belo Horizonte: Itatiaia, 1988.

ALCÂNTARA MACHADO, Antônio. *Vida e morte do bandeirante*. Rio de Janeiro: Nova Aguilar, 2000. Coleção Intérpretes do Brasil.

ALMEIDA, Pedro Taques de. *Nobiliarquia paulistana histórica e genealógica*. Belo Horizonte/São Paulo: Itatiaia, 1980.

ANDERSON, Perry. *Passagens da antiguidade ao feudalismo*. São Paulo: Brasiliense, 1974.

ANTONIL, André João. *Cultura e opulência no Brasil por suas drogas e minas*. Belo Horizonte: Itatiaia, 1997.

AZEVEDO Lúcio. *Os jesuítas no Grão-Pará — Suas missões e a colonização*. Lisboa: Tavares Cardoso & Irmão, 1901.

BALTA, Paul. *Islã*. Porto Alegre: LP&M, 2010.

BARBOSA, Bartira Ferraz. *Paranambuco*. Recife: Fundação Joaquim Nabuco, 2007.

BARBOZA FILHO, Rubem. *Tradição e artifício — Iberismo e barroco na formação americana*. Belo Horizonte/Rio de Janeiro: UFMG/Iuperj, 2000.

BARLÉU, Gaspar. *História do Brasil*. Belo Horizonte/São Paulo: Itatiaia/Edusp, 1974.

BASCHET, Jerome. *A civilização feudal — Do ano mil à colonização da América*. São Paulo: Globo, 2004.

BEIRANTE, Maria Ângela. "A 'Reconquista' cristã". In: SERRÃO, Joel e OLIVEIRA MARQUES, A. H. (dir.). *Nova história de Portugal — Portugal das invasões germânicas à "Reconquista"*, vol. II. Lisboa: Presença, 1993.

BETHELL, Leslie (org.). *História da América Latina — América Latina colonial*. São Paulo: Edusp, 1984.

BETHENCOURT, Francisco. "Os equilíbrios sociais do poder". In: MATTOSO, José (dir.). *História de Portugal — No alvorecer da modernidade (1480-1620)*. Lisboa: Estampa, 1994.

BENÍTEZ, Fernando. *La ruta de Hernán Cortez*, 3. ed., México: Fondo de Cultura Econômico, 1950.

BICALHO, Maria Fernanda Baptista. "Conquista, mercês e poder local: a nobreza da terra na América portuguesa e a cultura política do Antigo Regime". In: *Almanack Braziliense*, n. 2, Universidade Federal Fluminense, nov./2005.

BLACKBURN, Robin. *The Making of New World Slavery*. Londres: Verso, 2010.

BLOC, Marc. *La société féodale — La formation des liens de dépendance. Les classes et le gouvernement des hommes*. Paris: Editions Albin Michel, 1968.

BOXER, C. R. *A Idade de Ouro do Brasil — Dores de crescimento de uma sociedade colonial*. São Paulo: Companhia Editora Nacional, 1969.

_____. *Salvador de Sá e a luta pelo Brasil e Angola (1602-1686)*. São Paulo: Companhia Editora Nacional/Edusp, 1973. Coleção Brasiliana vol. 353.

_____. *A Igreja e a expansão ibérica (1440-1770)*. Lisboa: Edições 70, 1989.

_____. *Relações raciais no império colonial português (1415-1825)*, Londres: Oxford University Press, 1963.

BRADING, D. A. *The First America — The Spanish Monarchy, Creole Patriots, and the Liberal State (1492-1867)*. Nova York: Cambridge University Press, 1991.

BRAUDEL, Fernand. *Grammaire des civilizations*. Paris: Flammarion, 1997.

CALDEIRA, Jorge. *História do Brasil com empreendedores*. São Paulo: Mameluco, 2009.

CALMON, Pedro. *A conquista — A história das bandeiras baianas*. Rio de Janeiro: Imprensa Nacional, 1929.

CALMON, Pedro. *História social do Brasil — Espírito da sociedade colonial*, vol. 1. São Paulo: Martins Fontes, 2002.

_____. *História da Casa da Torre*. Rio de Janeiro: José Olympio Editora, 1939.

CANFORA, Luciano. *Julio César — O ditador democrático*. São Paulo: Estação Liberdade, 2002.

CARDIM, Fernão (padre). *Tratados da terra e gente do Brasil*. São Paulo: Companhia Editora Nacional, 1939. Coleção Brasiliana, vol. 168.

CARRIÈRE, Jean Claude. *A controvérsia*. São Paulo: Companhia das Letras, 2003.

CARVALHO FRANCO, Francisco de Assis. *Dicionário de bandeirantes e sertanistas do Brasil*. Belo Horizonte/São Paulo: Itatiaia/Edusp, 1989.

CASTELLO BRANCO FILHO, Moysés. *O povoamento do Piauí*. Rio de Janeiro: Companhia Brasileira de Artes Gráficas, 1982.

CASTRO, Américo. *España en su historia — Cristianos, moros y judíos*. Buenos Aires: Editorial Losada, 1948.

_____. *La realidad histórica de España*. México: Editorial Porruá, 1987.

CIDADE, Hernani. *O bandeirismo paulista na expansão territorial do Brasil*. Lisboa: Empresa Nacional de Publicidade, 1954.

COELHO, Marco Antônio Tavares. *Rio das Velhas — Memória e desafios*. São Paulo: Paz e Terra, 2002.

_____. *Os descaminhos do São Francisco*. São Paulo: Paz e Terra, 2005.

CORTESÃO, Jaime. *Introdução à história das bandeiras*. Lisboa: Portugália, 1964.

_____. *Raposo Tavares e a formação territorial do Brasil*. Rio de Janeiro: Ministério da Educação e Cultura, 1958.

CORTÉZ, Hernán. *O fim de Montezuma — Relatos da conquista do México*. Porto Alegre: L&PM, 1999.

COSTA E SILVA, Alberto. *A manilha e o libambo*. Rio de Janeiro: Nova Fronteira, 2002.

COTTA, Francis A. "Milícias negras na América portuguesa", Universidade do Estado de Minas Gerais. Disponível em http://www.klepsidra.net.

COUTO, Diogo do. *O primeiro soldado prático*. Lisboa: Comissão Nacional para as Comemorações dos Descobrimentos Portugueses, 2001.

ESPADA, COBIÇA E FÉ

COUTO, Jorge. *A construção do Brasil*. Lisboa: Cosmos, 1997.

CROUZET, Maurice (dir.). *História geral das civilizações — Os séculos XVI e XVII*, vol. 10, Rio de Janeiro: Bertrand Brasil, 1995.

DE LAS CASAS, Bartolomeu (frei). *O paraíso destruído*. Porto Alegre: L&PM, 1985.

Dicionário de bandeirantes e sertanistas do Brasil. Belo Horizonte/São Paulo: Itatiaia/Edusp, 1989.

DUBY, Georges. *Guerriers et paysans — VIIe-XIIe Siècle — Premier essor de L'economie européenne*. Paris: Gallimard, 1973.

ELIAS, Norbert. *O processo civilizador — Formação do Estado e civilização*, vol. 2. Rio de Janeiro: Jorge Zahar, 1993.

ELLIS, Myriam. "As bandeiras na expansão geográfica do Brasil". In: Sérgio Buarque de Holanda, *História geral da civilização brasileira — A época colonial*, tomo I. Rio de Janeiro: Bertrand Brasil, 2003.

FAORO, Raymundo. *Os donos do poder*. Porto Alegre: Globo, 1976.

FERNANDEZ-ARMESTO, Felipe. *Américo — O homem que deu seu nome ao continente*. São Paulo: Companhia das Letras, 2007.

FRAGOSO, João. "A formação da economia colonial no Rio de Janeiro e de sua primeira elite senhorial (séculos XVI e XVII)". In: *O antigo regime nos trópicos — A dinâmica imperial portuguesa (séculos XVI e XVIII)*. Rio de Janeiro: Civilização Brasileira, 2001.

_____. "A nobreza vive em bandos: a economia política das melhores famílias da terra do Rio de Janeiro, século XVII. Algumas notas de pesquisa". In: *Tempo*, v. 8, n. 15. Rio de Janeiro: Universidade Federal Fluminense, 2003.

FRAGOSO, João, BICALHO, M. F. e GOUVÊA, M. F. *O antigo regime nos trópicos, a dinâmica imperial portuguesa (séculos XVI e XVIII)*. Rio de Janeiro: Civilização Brasileira, 2001.

FRAGOSO, João, CARVALHO DE ALMEIDA, C. M. e SAMPAIO, A. C. J. *Conquistadores e negociantes — História de elites no Antigo Regime nos trópicos*. Rio de Janeiro: Civilização Brasileira, 2007.

FREYRE, Gilberto. *Casa grande e senzala*. Rio de Janeiro: Nova Aguilar, 2000. Coleção Intérpretes do Brasil.

GANDAVO, Pero de Magalhães. *História da Província de Santa Cruz* Lisboa: Assírio e Albin, 2004.

REFERÊNCIAS BIBLIOGRÁFICAS

_____. *A primeira história do Brasil*. Rio de Janeiro: Jorge Zahar, 2004.

GANDÍA, Enrique de. *Historia crítica de los mitos de la conquista americana*. Buenos Aires/Madri: Juan Roldán y Cia., 1929.

GASPAR DA MADRE DE DEUS (Frei). *Memórias para a história da Capitania de São Vicente*. Belo Horizonte/São Paulo: Itatiaia/Edusp, 1975.

GÓES FILHO, Synesio Sampaio. *Navegantes, bandeirantes, diplomatas*. São Paulo: Martins Fontes, 1999.

GÓNGORA, Mario. *Los grupos de conquistadores en Tierra Firme (1509-1550) — Fisonomía histórico-social de un tipo de conquista*. Santiago: Universidad de Chile, 1962.

HANKE, Lewis. *The Spanish Struggle for Justice in the Conquest of America*. Dallas: Southern Methodist University Press, 2002.

HEMMING, John. *Ouro Vermelho*. São Paulo: Edusp, 1978.

HOLANDA, Sérgio Buarque de. *Caminhos e fronteiras*. São Paulo: Companhia das Letras, 1994.

_____. *Visão do paraíso — Os motivos edênicos no descobrimento do Brasil*. São Paulo: Edusp/Companhia Editora Nacional, 1969.

_____. *Raízes do Brasil*. Rio de Janeiro: Aguilar, 2000. Coleção Intérpretes do Brasil.

_____. *História geral da civilização brasileira — A época colonial*, tomo I. Rio de Janeiro: Bertrand Brasil, 2003.

INSTITUTO CULTURAL BANCO SANTOS. *O tesouro dos mapas, a cartografia na formação do Brasil*, São Paulo: I.C.B.S., 2002. Texto e curadoria de Paulo Miceli.

KAMEN, Henry. *Filipe da Espanha*. Rio de Janeiro: Record, 2003.

LE GOFF, Jacques. *Em busca da Idade Média*. Rio de Janeiro: Civilização Brasileira, 2006.

_____. *Heróis e maravilhas da Idade Média*. Petrópolis: Vozes, 2009.

_____. *L'Homme médiéval*. Paris: Editions du Seuil, 1989.

LEITE, Serafim. *História da Companhia de Jesus no Brasil*. Lisboa/Rio de Janeiro: Portugália/Instituto Nacional do Livro, 1938. São Paulo: Loyola, 2004.

LEWIS, David L. *O Islã e a formação da Europa de 570 a 1215*. São Paulo: Amarilys, 2010.

LORENZETTO, Mário S. *Cabeza de Vaca e os mitos de seu tempo.* São Paulo: Fiúza, 2006.

MACHADO, Alcântara. *Vida e morte do bandeirante.* Rio de Janeiro: Aguilar, 2000. Coleção Intérpretes do Brasil.

MAGALHÃES, Basílio de. *Expansão geográfica do Brasil até fins do século XVII.* Rio de Janeiro: Imprensa Nacional, 1915.

MALHEIRO, Agostinho Marques Perdigão. *A escravidão no Brasil — Ensaio histórico-jurídico-social.* São Paulo: Cultura, 1866.

MANCHESTER, William. *A World Lit Only By Fire — The Medieval Mind and the Renaissance — Portrait of an Age.* Boston/Nova York/Londres: Little Brown, 1992.

MICELI, Paulo (org.). *O tesouro dos mapas — A cartografia na formação do Brasil.* São Paulo: Instituto Cultural Banco Santos, 2002.

MIRALLES OSTOS, Juan. *Hernán Cortéz — Inventor de México.* Barcelona: Tusques Editores, 2002.

MONIZ BANDEIRA, Luiz Alberto. *O feudo.* Rio de Janeiro: Civilização Brasileira, 2000.

MONTEIRO, John Manuel. *Negros da terra — Índios e bandeirantes nas origens de São Paulo.* São Paulo: Companhia das Letras, 1994.

MORSE, Richard (org.). *The Bandeirantes.* Nova York: Alfred A. Knopf, 1965.

_____. *O espelho de Próspero.* São Paulo: Companhia das Letras, 1988.

NÓBREGA, Manuel da. *Cartas do Brasil.* Belo Horizonte/São Paulo: Itatiaia/Edusp, 1988.

NORTON, Luis. *A dinastia dos Sá no Brasil.* Lisboa: Ministério das Colônias, Divisão de Publicações, 1953.

OLIVEIRA MARQUES, A. H. de, *História de Portugal — Das origens às revoluções liberais,* vol. I. Lisboa: Palas Editores, 1975.

OLIVEIRA MARTINS, Joaquim Pedro de. *História de Portugal.* Lisboa: Guimarães Editores, 1972.

_____. *O Brasil e as colônias portuguesas.* Lisboa: Guimarães Editores, 1979.

_____. *História da civilização ibérica.*

OLIVEIRA VIANNA, Francisco José de. *Instituições políticas brasileiras.* Belo Horizonte/São Paulo/Niterói: Itatiaia/Edusp/Eduff, 1987.

_____. *Populações meridionais do Brasil*. Rio de Janeiro: Nova Aguilar, 2000. Coleção Intérpretes do Brasil.

ORDOÑEZ, Andrés. *Los avatares de la soberanía — Tradición hispánica y pensamiento político en la vida internacional de México*. México: Secretaría de Relaciones Exteriores, Acervo Histórico Diplomático, 2005.

PAES LEME, Pedro Taques de Almeida. *Nobiliarquia paulistana histórica e genealógica*. Belo Horizonte/São Paulo: Itatiaia/Edusp, 1980.

PATTERSON, Orlando. *Escravidão e morte social*. São Paulo: Edusp, 2008.

PINTO, Fernão Mendes. *Peregrinação*. Rio de Janeiro: Nova Fronteira, 2005. Edição/adaptação de Maria A. Menéres.

PIRENNE, Henri. *Maomé e Carlos Magno — O impacto do islã sobre a civilização europeia*. Rio de Janeiro: Contraponto/PUC, 2010.

PORTO, Carlos Eugênio. *Roteiro do Piauí*. Rio de Janeiro: Artenova, 1974.

PRADO, Paulo. *Retrato do Brasil — Ensaio sobre a tristeza brasileira*. São Paulo: Companhia das Letras, 1997.

PRADO JR., Caio. *Evolução política do Brasil — Colônia e Império*, São Paulo: Brasiliense, 1977.

_____. *Formação do Brasil contemporâneo — Colônia*. São Paulo: Brasiliense, 1994.

PUNTONI, Pedro. *A guerra dos bárbaros — Povos indígenas e a colonização do sertão nordeste do Brasil, 1650-1720*. São Paulo: Hucitec/Edusp, 2002.

RIBEIRO, João. *História do Brasil*. Rio de Janeiro: Francisco Alves, 1964.

RICARDO, Cassiano. *Marcha para oeste — A influência da "bandeira" na formação social e política do Brasil*. Rio de Janeiro: José Olympio, 1959.

_____. *Pequeno ensaio de bandeirologia*. Rio de Janeiro: Ministério da Educação e Cultura, 1966.

RODRIGUES, Ana Villanueva. "Os marcos geográficos como referências na ocupação do território paulista". In: COSTA, Antônio Gilberto (org.). *Os caminhos do ouro e a Estrada Real*. Lisboa: Kapa Editorial, 2005.

RODRIGUES, José Honório. *História e historiografia*. Petrópolis: Vozes, 1970.

RUCQUOI, Adeline. *História medieval da Península Ibérica*. Lisboa: Estampa, 1995.

RUIZ DE MONTOYA, Antônio. *Conquista espiritual — Feita pelos religiosos da Companhia de Jesus nas Províncias do Paraguai, Paraná, Uruguai e Tape*. Porto Alegre: Martins Livreiro e Editor, 1997.

SAMPAIO, Teodoro. "São Paulo de Piratininga no fim do século XVI". In: *Revista do Instituto Histórico e Geográphico de São Paulo*, v. 4, São Paulo, 1899.

SANCEAU, Elaine. *D. Henrique, o Navegador*. Porto: Civilização, s/d.

SANCHEZ-ALBORNOZ, Claudio. *España — Un enigma histórico*. Barcelona: Edhasa, 2000.

SARAIVA, António José. *História da cultura em Portugal*, vol. III. Lisboa: Jornal do Foro, 1962.

SARAIVA, José Hermano. *História concisa de Portugal*. Lisboa: Euro-América, 2003.

SCHARN, Frederico Carlos. *Reconquista católica de la España musulmana (718-1492)*. Madri: Nueva Hispanidad, 2002.

SÉRGIO, António. *Breve interpretação da história de Portugal*. Lisboa: Livraria Sá da Costa Editora, 1981.

SERRÃO, Joel e OLIVEIRA MARQUES, A. H. (dir.). *Nova história de Portugal — Portugal das invasões germânicas à "Reconquista"*, vol. II. Lisboa: Presença, 1993.

SETÚBAL, Paulo. *A bandeira de Fernão Dias*. São Paulo: Saraiva, 1954.

SIMONSEN, Roberto. *História econômica do Brasil (1500/1820)*, 6. ed., São Paulo: Companhia Editora Nacional, 1957.

SKINNER, Quentin. *As fundações do pensamento político moderno*. São Paulo: Companhia das Letras, 1996.

SOUSA, Gabriel Soares de. *Tratado descritivo do Brasil em 1587*. São Paulo: Companhia Editora Nacional, 1997.

SOUSA, Pero Lopes de. *Diário da navegação (1530-1532)*. Lisboa: Agência Geral do Ultramar, 1968.

SOUZA, Márcio. *História da Amazônia*. Manaus: Valer, 2011.

TAUNAY, Affonso. *História das bandeiras paulistas*. São Paulo: Melhoramentos, 1924/1950.

_____. *São Paulo nos primeiros anos — 1554-1601*. São Paulo: Paz e Terra, 2003.

THOMAS, Hugh. *El Imperio Español — De Colón a Magallanes*. Barcelona: Planeta, 2004.

_____. *La traite des oirs (1440-1870) — Histoire du commerce d'esclaves transatlantique*. Paris: Robert Laffont, 1986.

TOSI, Giuseppe. "Raízes teológicas dos direitos subjetivos modernos: conceito de dominium no debate sobre a questão indígena no sec. XVI". In: *Prim@ facie*, vol. 4, n. 6. João Pessoa: Universidade Federal da Paraíba, 2005.

VACA, Alvar Nuñez Cabeza de. *Naufrágios e comentários*. Porto Alegre, L&PM, 2009.

VAINFAS, Ronaldo. *Santo Ofício da Inquisição de Lisboa — Confissões da Bahia*. São Paulo: Companhia das Letras, 1997.

VASCONCELOS, Diogo de. *História antiga das Minas Gerais*. Belo Horizonte: Itatiaia, 1999.

VIANNA MOOG, Clodomir. *Bandeirantes e pioneiros — Paralelo entre duas culturas*. Rio de Janeiro: Civilização Brasileira, 1969.

VICENTE DO SALVADOR (frei). *História do Brasil (1500-1627)*. Belo Horizonte/São Paulo: Itatiaia/Edusp, 1982.

VIEIRA, Antônio. *Sermões*. São Paulo: Hedra, 2001.

_____. *Sermões escolhidos*. São Paulo: Martin Claret, 2003.

VILELA, Magno. *Uma questão de igualdade... — Antônio Vieira e a escravidão negra na Bahia do século XVII*, Rio de Janeiro: Relume Dumará, 1977.

WEGNER, R. *A conquista do oeste — A fronteira na obra de Sérgio Buarque de Holanda*. Belo Horizonte: UFMG, 2000.

WEHLING, Arno e WEHLING, Maria José. *Formação do Brasil Colonial*. Rio de Janeiro: Nova Fronteira, 1999.

O texto deste livro foi composto em Sabon,
desenho tipográfico de Jan Tschichold de 1964
baseado nos estudos de Claude Garamond e
Jacques Sabon no século XVI, em corpo 11/15.
Para títulos e destaques, foi utilizada a tipografia
Frutiger, desenhada por Adrian Frutiger em 1975.

A impressão se deu sobre papel off-white
pelo Sistema Cameron da Divisão Gráfica
da Distribuidora Record.